Ma[illegible]

Todos Somos Maestros

Editorial Grad

primera edición, Enero 1995.
segunda edición, Febrero 1997.

la presentación y disposición en conjunto de

TODOS SOMOS MAESTROS

Aristóteles 85, Col. Polanco, 11560 México, D.F.
Tels.: 281.04.77 281.27.35
Miembro de la Cámara Nacional de la Industria Editorial.

Reg. Número 1766
ISBN 968-6210-22-9

Producción:

Silvia Sánchez

Investigación, corrección y desarrollo editorial:

Rogelio Sampedro Aráuz
Juan Jesús Gómez Granados

Dedicatoria

¡Dios me ha llenado de tesoros y entre ellos ha iluminado mi vida con la alegría...!

Dedico estas líneas a esa alegría personificada en un niño, cuyo contenido vital es tan fuerte que impregna todo ambiente.

¡Deseo que ese niño feliz que es mi hijo Benjamín, nunca deje de ser niño y nunca deje de ser feliz...!

Esta dedicatoria fue escrita en el verano de 1980, y al fin en el invierno de 1994 la puedo expresar públicamente, mas vale tarde que nunca.

Contenido

Palabras del editor I

A manera de Prólogo V

Introducción IX

Que es un maestro XIII

Capítulo I
Educar es capacidad de esperar 1

Capítulo II
Fines de la educación 19

Capítulo III
Hacia la excelencia educativa 31

Capítulo IV
Cualidades del maestro 47

Capítulo V
Los hacedores de las nuevas generaciones. 65

Palabras del editor

¿Quién es un Maestro?

¿Un Maestro es acaso sólo aquél, que se traslada diariamente a un lugar llamado Escuela para desempeñar su tarea como cualquier otro artesano que vende su trabajo? ***Un Maestro es ejemplo de vida, modelo de virtudes, es un ser con vocación ilimitada de servicio, cuya retribución mayor es ver convertido a un niño en un ser integral.***

¿Un Maestro es acaso aquél, siempre bajo el brazo con un libro y en la mano una pluma dispuestos a dictar una nueva tarea? ***Un Maestro es un ser siempre dispuesto a la acción, aquél siempre con actitud de ayuda, que nos contagia con su impulso y entusiasmo.***

¿Un Maestro es acaso aquél, que tiene diariamente que lidiar con niños que no trajo al mundo, para que ya de grandes sean buenos adultos? ***Un Maestro es aquel que forja hijos de espíritu, que siembra en el alma la ambición de ser grande, de ser un triunfador.***

¿Un Maestro es acaso sólo aquél, que nos instruye en la Matemática lo mismo que en la Biología o la Historia? ***Un Maestro es una guía para la energía,***

una luz que ilumina el sendero, un puente que nos conecta al futuro.

¿Un maestro es acaso aquél, erudito en conocimientos, mente brillante que nos regala toda su sabiduría? ***Un Maestro es un artista que hace surgir de nosotros las más altas virtudes y potencialidades del ser humano, es un constante transmisor de inquietudes que invita al descubrimiento de uno mismo.***

¿Un Maestro es acaso sólo aquél, circunscrito a un espacio llamado Escuela y a un tiempo llamado Clase? ***Un Maestro está en todos lados, dentro y fuera del aula. Todos Somos Maestros, porque todos enseñamos con el ejemplo. Maestro es el Padre y la Madre, primera lección de valores; Maestro es el hijo en la paciencia y en el perdón; Maestro es el amigo fiel; Maestro es también el hermano en la fraternidad; Maestro es la pareja en el amor; Maestro también lo es el compañero en la laboriosidad y calidad de su trabajo; Maestro lo es el vecino en solidaridad y cortesía; Maestro el dirigente en equidad y justicia; Maestro de vida el que con total dedicación se consagra a enseñar.***

Todos Somos Maestros porque todos somos líderes, y Doña Marina David Buzali es Líder y Maestra, maestra de toda una vida, maestra que hace soñar, maestra en el arte de aprender, porque ser maestro significa ante todo ser un aprendiz por ***Excelencia,*** ser un persistente buscador de la verdad, ser un eterno amante de la sabiduría. Por ello Doña Marina, a través de estas páginas, nos invita a conocer nuestra más bella esencia humana, la del ser maestro.

El Editor
Rogelio Sampedro Aráuz.

A manera de PROLOGO

A ti Papá, a ti Mamá, a ti Maestro, a ti Líder

Tienes en tus manos un tesoro de sabiduría, esta obra plasma en sus páginas el conocimiento y la experiencia cotidiana de una mujer que con justicia y propiedad debe ser llamada Maestra.

Quien mejor que Marina David Buzali, para expresarnos con su estilo lleno de calor humano y vida, el por qué todos somos maestros.

A lo largo de estas riquísimas páginas se perfila la figura del educador, de igual manera se va revelando el cómo somos participes, los seres humanos de esta altísima misión, pues como Marina lo expone, todos hasta la persona más humilde o sencilla tiene algo o mucho que enseñar.

Se entrelazan a lo largo de esta excelente obra principios, definiciones y experiencias humanas, que nos cuestionan a quiénes tenemos la responsabilidad de educar, acerca de cómo estamos formando a nuestros hijos o alumnos y también el cómo nosotros aprendemos de ellos.

Marina nos dice que todos tenemos que enseñar, la joven que sufre en silencio pero que anima a otros como si ella no sufriera, los niños que viven la vida con optimismo, los filósofos con su sabiduría, la naturaleza con su armonía, el viejo que ha vivido bien la vida, padres y maestros con su amor, en fin, nos demuestra con claridad, sencillez y gran calor humano, que ***Todos somos Maestros.***

Guillermo Bustamante Marilla.

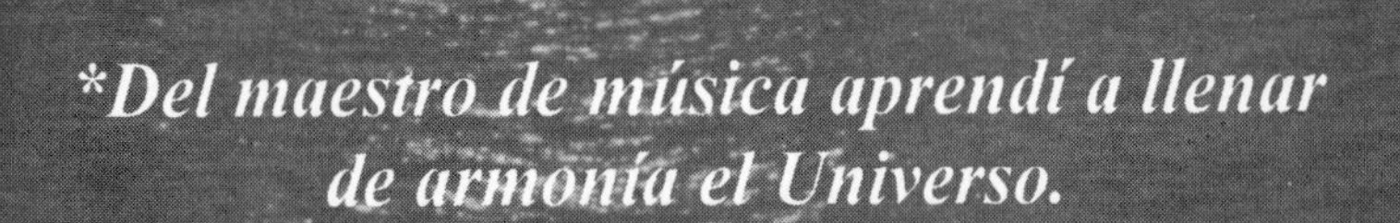

**Del maestro de música aprendí a llenar de armonía el Universo.*

Introducción

Partiendo de la base de que todos somos alumnos y todos somos maestros, está hecha esta obra, con el objeto de comprender y relacionar entre sí diferentes conceptos de la ciencia pedagógica.

Especular para dirigir. Desarrollar una actitud de análisis y de reflexión sobre todo aquello que atañe a la educación.

Asímismo, se valorará la magnitud e importancia de la educación como fenómeno individual y social y se apreciará el proceso educativo como enriquecimiento y realización humana.

Resultará muy difícil para quien no sepa amar, ser maestro y resultará también muy difícil para quien no quiera "crecer", ser alumno... Y recordemos que en la misma persona se encuentra un maestro en acto y un alumno en potencia, cuya única medida, la determinará "su querer y poder" -voluntad e inteligencia- porque el proceso de aprender-enseñar, no termina nunca.

Profundizar más, alcanzando mayor conocimiento en lo que más nos interese... especular para dirigir, teorizar para poner en práctica, encontrarnos con otros para afirmarnos en la propia existencia y poder trascender del yo al ellos en el servicio y en el amor.

¡Aprendí del que sabe amar, que el verdadero amor es capaz de hacer feliz al otro!

¿Qué es un maestro?

Sólo hay un verdadero Maestro en sentido amplio, es el Maestro que por amor, murió por nosotros. Pero de alguna manera habrá que llamar a todos aquellos que participan de esa maestría y que en una imperfecta imitación, nos trasmiten vida, fuerza, sabiduría y amor; a esos maestros de vida que hay dentro de cada uno de nosotros me refiero en este módulo, en estos apuntes que son el resultado de muchos años, de muchas experiencias, de ése estar abierto a la comunicación con los demás como esa cualidad magnífica de la persona.

En la Antigua Grecia, se le llamaba maestro -"magister" a aquel que tenía que tratar con lo importante, con el ser humano, contribuir a formarlo, pues ya desde entonces había una primacía de la persona sobre el profesionista (sobre la ocupación)- y se daba en verdad ese magister a aquel a quien tenía que conducir... hacia la luz, hacia el Bien... ¡El "minister" era aquel que se dedicaba a las minucias! -cuestiones públicas y del Estado-, que ya desde entonces también había considerado que lo verdaderamente importante era formar al hombre y que en la medida que éste fuera mejor formaría mejores Estados y más justas sociedades.

Pero los tiempos cambian, que no el hombre. Ahora es más importante el Minister que ese maestro que se da en pos de la plenitud y perfección de su educando; y esto es motivo de reflexión, pues sin duda las cosas no están muy bien, dado que estamos dando más importancia a las cosas públicas que al individuo; "darle a éste, ciencia, moral, arte y religión", para que alcance su destino de hombre y entonces sí pueda transformar su mundo en un lugar más amable para vivir.

Querido Maestro

Queremos expresarte nuestro reconocimiento por tu gran tarea, pero sabemos que tú eres capaz de contemplar en un granito de arena... ¡todo un universo: sabemos que eres de una raza especial destinada a cambiar e influir en las nuevas generaciones...!

Gracias por que nos sabes escuchar y nos comprendes.

Gracias por tu paciencia.

Gracias por preparar tu clase día con día y encontrar el mejor camino para que aprendamos más fácilmente.

Gracias por amarnos tanto y prepararte continuamente para poder conducirnos a nuestra perfección.

Gracias por ser también Maestro de Vida, con tu ejemplo nos comunicas esa gran decisión de entregarnos al servicio de los demás y decir si en los momentos difíciles.

Gracias por tu alegría, tu haces con tu sonrisa y buen trato que los días sean días de fiesta en tu compañía.

Gracias por enseñarnos a amar a Dios, Gracias por mostrarnos a cada paso que somos importantes y que nuestra vida tiene un sentido.

Gracias por ser nuestro amigo y aconsejarnos siempre que lo necesitamos.

Gracias por tener "sentido del humor"

Gracias por ser exigente contigo mismo y por mantener ante nosotros esa excelente imagen que nos invita a seguir tu camino.

Gracias por ser responsable y creativo buscando día a día la mejor manera de que participemos activamente en nuestra clase, motivándonos y manteniéndonos continuamente interesados en las diferentes materias. Nos motivas con tu entusiasmo y nos convences con tu sinceridad.

Gracias por enseñarnos a amar a nuestro México.

Gracias por ser honesto y optimista, mostrándonos así tu confianza en Dios, en ti mismo y en nosotros.

Tus alumnos.

Educar es capacidad de esperar

1. ¿Qué es persona?

"Substancia individual de naturaleza racional", esta es la profunda descripción filosófica de Boecio. Pero que para nosotros los profanos, queda completamente aclarada con los siguientes conceptos. Persona es un ser que por tener, no sólo instintos, sino también inteligencia, voluntad y libertad es capaz de sentir necesidades morales, tanto en relación con su cuerpo como con respecto a su espíritu, y que, por ello, tiene también derecho a satisfacer esta doble clase de necesidad. Tendrá necesidades urgentes, como comer, vestirse, tener donde vivir y tendrá necesidades importantes: arte, ciencia, moral y religión. Y me atrevo a suponer que si ésta doble tendencia es violentada, habrá consecuencias en su naturaleza. Así es el hombre que trasciende al universo por su libertad..., abierto a todo ser y capaz de entrar en comunicación con las demás personas. Es un individuo de una especie particular, único e irrepetible.

Es un ser hecho a imagen de su Creador; aquí el punto más fuerte para saber de su dignidad. La individualidad del hombre es más perfecta, más estricta que la de los otros seres en virtud de su libertad fundada en la razón. Ser persona también constituye un proceso; es crecer, lograr esa integración que proporciona la educación y el esfuerzo cotidiano... ser persona es llegar a ser el señor de sí mismo, dominados los instintos por la razón; "de una sola pieza" se dice, piensa, habla y actúa en la misma línea, hay coherencia, hay congruencia de vida.

Ser persona es ser responsable de su conducta y dueño de su destino. La persona humana por estar dotada de inteligencia y libertad, es un sujeto de obligaciones y derechos, fundados en el fin último a que está ordenada. La función de la persona es precisamente la de dar disciplina, unidad y coherencia a la vida del espíritu.

Ser persona es un rango, una categoría que no tienen los otros seres irracionales carentes también de voluntad. Las circunstancias, los instintos, los tiempos no la determinan, a pesar de todo, ella se determina.

2. ¡Qué es personalidad?

Supone la realización de una armonía general, de un crecer conjunto. Supone el desarrollo continuo de todas las área del individuo. Es el conjunto de disposiciones físicas, afectivas, intelectuales, sociales y espirituales, por las cuales un ser se define y se expresa en medio de sus semejantes. Existe una estrecha relación entre carácter y personalidad.

La personalidad es una organización dinámica, individual de aquellos sistemas psicofísicos que determina una singular adaptación al medio ambiente. Así, herencia, crianza y medio ambiente, son determinantes en la resultante de la personalidad.

* El carácter se forma sobre la base del temperamento que es congénito, heredado.

3. ¿Qué es enseñanza?

Del latín "in-signo", mostrar un objeto para que se apropien de él intelectualmente -Enseñar: Presentar en forma sensible los objetos que el alumno deberá asimilar mediante su conocimientos-. Pero es necesario dar tiempo, no olvidar que "educar es capacidad de esperar" y la enseñanza es parte de la educación. Hay padres y maestros que no saben esperar, que no tienen creatividad para repetir la misma cosa para que parezca diferente cada vez que se dice.

Enseñar es sembrar, fecundar... esencialmente significar los conceptos que evidentemente deberán ser de valores. De la concreción entre la acción de enseñar y el efecto de aprender, resulta la instrucción: "instruir -enseñar con efecto".

Así, en la enseñanza contemplamos un proceso de diálogo, de comunicación, una relación bipolar, una fecundación de espíritu; el maestro debe incidir verdaderamente en el educando e injertar en él la semilla de verdad y de bondad que le ha preparado; entonces el acto didáctico cobra valor y significado la dinámica de la docencia. Así el maestro de vida, el padre, la madre, deberán preguntarse ¿Qué están sembrando en el espíritu de su educando, de su hijo..?

4. ¿Qué es aprendizaje?

Es el proceso entre el punto de partida y llegada de toda intervención didáctica. Reviste características subjetivas por parte del alumno ***(las disposiciones del alumno son aquí determinantes)*** y del docente que aplicará todas sus técnicas dirigidas por sus ideales educativos; y dependerá de sus ideales "la talla del maestro".

Este proceso contiene también su parte objetiva: la particular estructuración de la clase, del ambiente y de las situaciones didácticas donde se maduran experiencias y se resuelven problemas, creando así el interés por seguir aprendiendo. La verdad es el objeto ideal propuesto al aprendizaje del alumno y debe traducirse en una incorporación personal y vital; un aprender para vivir.

En el desarrollo del niño, el aprendizaje es de gran importancia, porque el aprendizaje modificará la conducta en consecuencia de la experiencia. El aprendizaje representa el establecimiento de relaciones nuevas entre unidades que previamente no estaban asociadas.

Todas estas experiencias de aprendizaje vividas por el niño, irán enriqueciendo su personalidad. Habrá que tener en cuenta que el aprendizaje no termina nunca y despertar en la persona ese gusto, esa disposición por estar abierto siempre a nuevos saberes a encontrar el secreto de las cosas investigando los ¿por qué? A veces los padres por no tener paciencia "matan" a un científico o a un escritor.

Habrá que tener en cuenta elementos externos que directa o indirectamente perjudican la capacidad de aprendizaje. Así por ejemplo, siendo la T.V. un invento admirable, muchas veces resulta nocivo en cuanto a que el tiempo y la calidad de los programas no son medidos por los educadores, principalmente los padres; habrá que tener en cuenta cuánto tiempo y qué se puede ver. Y no nos estamos refiriendo tanto a rigorismos moralistas, sino a la "pérdida del aprendizaje" y a la disminución de agilidad mental.

Muchas veces advertimos que un pequeño que era un "tigre" para las matemáticas, a partir de que alguien le regaló una maquinita "calculadora", el muchacho ha dejado de tener la misma agilidad y lucidez mental; con reloj en mano, tarda más del doble en resolver problemas y operaciones; luego la calculadora es magnífica pero sólo para checar resultados, después del niño haber efectuado las operaciones.

Pero, no sólo estamos planteando problemas, hemos analizado algunas soluciones, que desde luego, requerirán paciencia, tiempo y mucho amor (El elemento indispensable para educar). Por ejemplo, usar juegos en los que se persigue una mayor concentración como el ajedrez que además da como resultado la mejor concentración, táctica y prevención. Hay otro juego interesante, la memoria, es esa serie de cartoncitos que una vez memorizados, habrá que localizarlos.

Por lo demás, todo dependerá del ingenio y del interés que se tenga para sacar a los educandos adelante. Música, arte, artesanías, modelismo, en fin, tantas cosas al servicio del educador.

Porque, ciertamente hay recompensas para ese educador que sabe amar... para ese padre o esa madre que dando lo mejor de ellos mismos tienen, saben despejar las dudas de las cabecitas que les han sido encomendadas... ¿Alguna vez ha notado usted el brillo en ojos de ese niño que acaba de apropiarse de algún conocimiento? Y es entonces cuando sonríe confiado y ya, puede ir feliz a la escuela, es ahí precisamente en donde se está empezando a cimentar la confianza en él mismo. Existen otros motivos de tristeza al asistir a la escuela, averigüe cuáles son y ayude al muchacho a ser feliz...

5. *¿Qué es instrucción?*

Instruere; construir adentro. Es enseñar a pensar. Consiste en la formación interior de la mente. No es acumulación de datos inconexos, ni memorización de nociones.

Ya se ha hablado bastante sobre ello; si usted necesita datos... fechas o lugares.. acuda al diccionario o a la enciclopedia, los hay por todas partes. La instrucción, da por resultado una construcción de estructuras mentales y de afinamiento de las funciones lógicas.

Es claridad de percepción -sin distorsión- es seguridad de juicios, secuencia de ilaciones. Es enseñar a observar. Muchas veces llamamos primitivos (ignorantes) a quienes observan los astros, el día y la noche, la lluvia y el invierno y de aquellas observaciones magníficas salieron múltiples beneficios para la humanidad; ***instruir es enseñar a observar.***

Instrucción, es la formación intelectual, uno de los medios propios e inmediatos de la educación misma y, que tiene a su servicio, medio y subalterno a la enseñanza. Así que usted podrá saber si todos los maestros instruyen.

"El hombre, dice Kant, llega a ser hombre
sólo por la educación. La educación disciplina,
cultiva y moraliza. El hombre no es otra
cosa que lo que la educación hace de él, en
la educación se encuentra el secreto de la
perfección humana"

6. ¿Qué es educación?

Representa el fin trascendente. Y es precisamente aquí en donde se plantea el primer problema, pues hay quien no acepta que el fin del hombre en ésta vida es lograr su perfección como persona humana y hay quien no cree ni acepta que su fin sobrenatural es llegar a Dios, su causa primera.

La educación, requiere del concurso del sujeto-educando; ¿quiere él crecer y trascender...? Educar es actualizar las potencialidades (facultades, funciones, aptitudes, capacidades con las que se nace). Para actualizarlas se requiere del intelecto y de la voluntad, de las dos partes, educador y educando.

Y considerando que el objeto de la voluntad es el Bien y el de la inteligencia es la Verdad, obtendremos en el terreno del *deber ser* que el intelecto inducirá a la sabiduría y la voluntad a la santidad. Es grande la meta, pero consideramos que el Hombre también lo es.

"La educación del ser humano en el ***deber ser,*** en el servicio y en el amor es de proyecciones trascendentes. Se plantea como la verdadera revolución llevada a cabo para lograr sociedades más justas, pueblos con mayor comprensión de su destino digno y humano. Y es precisamente en la familia en donde se cultiva ese semillero de hombres nuevos y sólo la fuerza tremenda generada por el "Saber Amar" y basada en el conocimiento, podrá hacer posible una generación de gran talla". Cfs. "Saber Amar" - Marina David-Editorial Grijalbo.

Educar: educere -sacar de adentro, conducir hacia la realización de la persona- perfeccionar, extraer (no retacar). Se considera que todo acto educativo es un acto de mejora. Santo Tomás: "La conducción y promoción de la prole al estado perfecto del hombre en cuanto al hombre, que es estado de virtud".

Educar también es alimentar, ayudar, nutrir y para esto hay que tener presente quién es el ser humano y de qué está compuesto, cuáles serán pues sus necesidades, y obrar en consecuencia.

Toda educación requiere del concurso de los padres, maestros, medio ambiente y sobre todo del sujeto mismo; pero hay que recordar que "educar es capacidad de esperar", dar tiempo al muchacho para que germine en él la semilla de verdad y de bondad que se ha sembrado en su espíritu. Saber esperar y saber empezar cada día, es por eso que decimos que no existe la monotonía para quien sabe amar.

Es necesario también saber en qué momento educamos y en qué momento se nos está educando, porque en el acto educativo se pone en juego toda la persona, ya que educar es comunicar valores, estar en el otro, dar lo mejor de sí mismo.

Llamamos educación integral, cuando se apunta a perfeccionar todas las facultades y áreas del individuo: intelectual, moral, estética, física y religiosa.

"Durante toda una vida, el ser humano es educable, es sujeto de perfeccionamiento y deberá tender a mejorar en todos sus aspectos".

No se admite para el hombre esa frase: árbol que crece torcido... ya que el hombre es perfectible hasta su muerte. En el proceso cronológico, el ritmo biológico irá en ascenso hasta la edad adulta, pero en el proceso psicológico, el ritmo siempre se presentará como ascendente, es la búsqueda de la plenitud como ser humano (Ley natural).

Educación: "La conducción y promoción de la prole al estado perfecto del hombre en cuanto hombre, que es el estado de virtud". Santo Tomás de Aquino.

Virtud: - Fuerza, valor. Estado de una cosa que constituye su excelencia propia y la capacidad para realizar bien su función.

Educar es capacidad de esperar... dar tiempo a beneficios y felicidad. Los padres somos maestros, los educadores, los comunicadores y, no nos quejemos por las generaciones jóvenes... nosotros los hemos formado -o deformado-; habrá que preguntarnos si los adultos ¿dejamos mucho que desear, o es más bien que no comunicamos valores...?

Maestro y Líder

Quien borró la raya del horizonte, será el que quiere remontarse al infinito, fundirse en las estrellas y desde ahí ¡alumbrar al mundo! Yo amo a los hombres cuya dimensión está en el universo.

Al maestro como líder de Excelencia, como portador, transmisor y hacedor de valores.

¡Un gran compromiso que se adquiere por estar enamorado de las grandes realizaciones!

¡Yo amo a aquellos que sólo saben vivir!, para sembrar en los otros las semillas de la grandeza!

Yo amo a los seres que son como flechas prendidas que al cruzar el viento lo incendian todo para, de las ceniza, hacer surgir un mundo nuevo. Yo amo a los que viven para forjarse en la fuerza de la virtud, y que son la savia que hace caminar a los que los rodean. Amo a los que construyen, inventan, seducen y aman hasta forjar seres magníficos y conjugan en este afán la exigencia con la dulzura. ¡Yo amo a los que no reservan ni una gota de su espíritu, y éste es el puente para que los demás alcancen la gloria!

¡Yo amo a aquellos seres cuya alma está repleta de cosas bellas, porque tienen mucho que dar y se ofrecen para que los demás vivan! En fin, yo amo a los seres que engendran valores en el alma de sus educandos, de sus seguidores y no esperan arrancar los frutos.

Quiero que vivan los hombres que ayudan a dar a luz, porque, entre todos, el mundo ya no estará en tinieblas. Yo amo a todos esos seres porque mi condición es amar, hacer inmortales a los seres magníficos que nos han guiado y comunicado tanta grandeza en la libertad de elegir el camino para vivir o no, para ser o no, para fundirnos en el infinito y alcanzar una cosmovisión sin límite, teniendo en cuenta que cada uno de nosotros es un universo en sí mismo.

¡Amo a los seres que me han comunicado que soy un ser maravilloso!

Fines de la educación

1. ¿Qué es formación

Tiene lugar mediante la asimilación de la cultura, la cual es contenido y forma. Contenido del patrimonio intelectual conquistado por el pensamiento humano a través de generaciones seculares. Por lo tanto, la cultura en sí tiene poder formativo y disciplinador del intelecto; en cuanto que sus contenidos se traducen en estructuras mentales y sus formas perfeccionan las funciones lógicas.

La formación y la educación de la persona irán juntas solamente cuando estén en función de un crecimiento moral.

La formación se manifestará en todos los actos de la persona, en su autenticidad de vida, en su concordancia entre lo que piensa, hace y dice.

Lo contrario sería de-formación que se traduce como la vivencia de antivalores, como la asimilación de subculturas que degradan al hombre en su rango de persona humana.

Naturalmente, concurren a la formación del individuo, su hogar, su escuela y su medio ambiente.

La buena forma, esa formación, se deberá traducir en el estilo de vida propio; esa formación se reflejará también en la mirada y en la sonrisa para con los demás, porque se ha formado para el servicio y en el amor...

2. ¿Qué es cultura?

Un término que puede designar todo lo que es obra del hombre, creaciones dignas de su espíritu, todo esto se convierte en cultura. El acervo de bienes pertenecientes a un grupo social dado viene a constituir su cultura.

Originalmente del latín *cultura agri,* cultivar la tierra... pasó a ser cultivar el espíritu, así que el Hombre necesita de buenos "cultivadores".

Es en suma la manifestación de los valores del hombre. Cultura es la transmisión de esos valores y la vivencia de los mismos; principia en el hogar y son los padres, los principales transmisores de bienes culturales, de valores, y lo serán mejor en la manera en que "los vivan".

La cultura, los bienes culturales están ahí... preparar pues al educando para que se apropie adecuadamente de ellos; así, el valor moral es adquirido por el propio hombre, en su esfuerzo para ser mejor, recordemos aquí las palabras de Cervantes: *"la sangre se hereda y la virtud se aquista, pero la virtud vale sola, lo que la sangre no vale".* Luego, los bienes culturales se ofrecen, pero genéticamente no se heredan. El hombre se va conformando de lo aprendido y de pequeño, de lo imitado...

Así, en la medida en que el hombre se cultiva, se forma, se educa, en esa misma medida contribuirá a enriquecer o a empobrecer las sociedades; porque es el Bien-estar y el Bien-ser, lo que hace a un pueblo culto y hay que recordar que un pueblo, que un sistema, está formado por individuos, cuya cosa en común es naturaleza humana y esa precisamente es la que está sujeta a perfección, hasta lograr una maravillosa obra de arte que dé gloria a su Creador.

Cultura es la forma de vida de un pueblo; sus bienes culturales serán igualmente el respeto a la otra persona, como los murales de un gran artista; en las manos del hombre estará pues el enriquecer su cultura indefinida y continuamente.

Aquí algunos de los bienes culturales que forma la Cultura Objetiva: ciencia, técnica, bienes económicos, arte, lenguaje, instituciones, normas morales y jurídicas, religión, etcétera.

Cultura Subjetiva: "El desarrollo de las diversas posibilidades del ser humano", ¿pero él quiere? ¿sus cultivadores pueden?

3. ¿Qué es civilización?

Antes de que los pueblos pudieran escribir, se les llamaba bárbaros, y antes de que pudieran hacer cacharros de barro, se les llamaba salvajes. Cuando los pueblos podían leer y escribir, se les llamaba civilizados y de acuerdo a esto, las primeras civilizaciones conocidas se iniciaron en Egipto y Sumeria (6,000 a. J. C.) y desde entonces es posible también empezar a reconstruir la historia de un pueblo.

Pero profundicemos en el decir popular, se habla de la civilización tal o cual, refiriéndose a un estilo de vida propio, ligado sobre todo a un tiempo, un espacio y una técnica; y así el hombre que con todo su talento y señorío sobre la tierra ha creado sus civilizaciones, está siendo víctima de ellas... "Desde el momento en que las condiciones naturales de la existencia han sido destruidas por la civilización moderna la ciencia del hombre se ha transformado en la más necesaria de todas las ciencias" Alexis Carrel.

Es irónico empezar a estudiar para educar a un ser que ha olvidado que no se puede someter a la Naturaleza, más que obedeciendo sus leyes hay que empezar por su misma naturaleza. En fin, continuemos; hay quien dice: hay que civilizar a una persona... pero no confundir, civilizar no es vaciar de contenido humano, civilizar no es tampoco desarraigar..., civilizar no es tampoco desvincular.

También se habla del hombre civilizado, refiriéndose generalmente a aquel que ha creado máquinas para servirse de ellas y ha terminado por servir a las máquinas Pero en fin, algo concreto sería tomar a la civilización como materialización de la cultura, en todos sus aspectos, con todo su rico contenido.

Una civilización que se midiera solamente por sus avances técnicos sería una pobre civilización..., porque igual se mide al hombre por sus ideales, por sus principios, por sus fines, por sus metas; si, que lo ideal de una civilización sería producir genios y santos, sabios y héroes; pero para que esto suceda, los padres, los maestros y gobernantes, deberán ser conductores, no seductores, seres auténticos no fantoches, seres de prestigio para ejercer su autoridad con amor y hacia fines nobles, seres preparados, no improvisados, seres que pretendan con toda la fuerza de que son capaces, lograr la perfección del otro.

4. ¿Qué es pedagogía?

Filosofía de la Educación. Ciencia que tiene como objeto propio el acto educativo.

Dos palabras griegas nos dan la clave: paidos-niño y agó-conducir (acompañar-asesorar). Ciencia noble por su objeto: conducir al hombre a su perfección, conducir al niño hacia la luz y la felicidad... hacia el Bien.

Ciencia especulativa-práctico-normativa, estudia para dirigir. Es un complejo sistemático de conceptos que constituyen la Teoría de la Educación.

La pedagogía considera como fin último del proceso educativo, la formación de la voluntad moralmente buena y los aspectos particulares que condicionan el resultado educativo general, enfoca el estudio de lo que sirve para crear en el educando su específica madurez humana.

Ciencia alumbrada por la Filosofía y que permite por ello enseñar a vivir y enseñar a vivir es transmitir sabiduría.

"El verdadero maestro es aquel que no extingue el fuego, sino más bien hace flamear en el alma el amor hacia la verdad, hacia la belleza, hacia la justicia, sin imponer sus propias opiniones"

Platón

Hacia la Excelencia educativa

Toda mi experiencia y mis conocimientos, todo lo que tengo y soy lo pongo al servicio de los que están a mi cuidado, sé que la autoridad es de servicio y que precisamente compromete, haré crecer a mi grupo, crecer integralmente.

Ahora puedo con mis actitudes, demostrar que triunfar es conducir a los míos hacia el éxito, mi dinamismo es motor para los demás, cada vez que se acerquen a mí los llenaré de entusiasmo y cada vez que pretendan caer, con dulzura y firmeza les haré decir, ¡sí a la vida!

El amor y el servicio son los pilares en donde se sostiene la grandeza humana, esta dimensión me permite saborear la eternidad de cada instante.

Mi ser aspira a la grandeza, pero sé que esto compromete, es humildad y capacidad de asombrarse por todo, es encontrar todo nuevo siempre aunque ya lo conozca, "porque no hay monotonía para quien sabe amar" y yo amo a la vida y todo lo que representa.

Seré el sol para los míos, transmitiré calor y bien, y la sabiduría del conocimiento de Dios.

Buscaré la belleza en todo y para ello estaré abierto a la sorpresa, necesito enriquecerme de todo lo que me rodea, pues en esa medida podré servir a los demás, yo sé que el que no tiene nada, no puede dar nada.

Tendré para los demás, todos, el mismo trato delicado y precioso que tengo para conmigo mismo, sé quien soy y por eso sé que puedo servir a los demás, aspiro a la excelencia y a la perfección que solo se logra sabiendo amar y servir. Ser útil a los demás, servir para que alcancen sus metas, proporciona las más grandes satisfacciones y es propio solo de los grandes espíritus.

Disfrutaré cada instante con alguien que me ofrezca la oportunidad de servirle, así cada día aprendo algo. Soy un ser necesario en el concierto del universo.

Daré gracias a mi creador por cada vez que se me presente la oportunidad de servir. De servir a un niño, a un hombre, a México y a Dios.

Hacia la excelencia educativa

"Sólo en la comunidad que cultiva valores prospera la educación"

Kant

"Educar es ante todo un acto de interioridad". Es inclinar al hombre a que lea dentro de sí, en este sentido, la escuela no se agota en el aula del maestro, la misma vida es una escuela. "Es escuela tanto una alegría como un dolor, la posesión de algo y su carencia, un nacimiento o una muerte, ya que todo acontecimiento es un estímulo o un apremio, una invitación o un empellón violento e inesperado para restituirnos a nosotros mismos, para llevarnos de fuera a dentro, para que el ojo del alma enfoque la interioridad, para que la lea y "saque desde adentro", esto es educar.

El viejo maestro, el escultor Sócrates se complacía más en sacar el saber de la mente de los hombres, que las formas de los bloques de mármol, por eso abandono el arte del padre y siguió el de la madre, la comadrona Fenareta, en efecto, Sócrates ayudaba a los jóvenes a alumbrar ideas. Ahora bien, ¿qué hubieran alumbrado si no hubieran sido fecundados en verdades, en virtud de haber sido fecundados con la verdad? "Luego educar es fecundación de almas". ¿Pero cómo hubieran podido ser fecundados si no hubieran estado enamorados de la verdad?, y es que la verdad, amiga burlada, pero siempre amiga, jamás los abandonaba, Sócrates los reconciliaba con el amor que no muere por cansancio ni por satisfacción. Los provocaba para que retornaran a si mismo a permanecer contentos en sus hondonadas, a leerse y entender el libro de su alma, a excavarse hasta el fondo y después les facilitaba el parto, porque grande es el dolor de alumbrar en la verdad, requiere un esfuerzo de toda el alma el comprender lo que ella sabe y no sabe que sabe.

El termino educar en cuanto sacar fuera lo que está dentro del alma, tiene un sabroso gusto platónico y agustiniano que no se ha perdido y que hoy se ha recuperado en su formidable actualidad.

Por cierto, puede saborearse mejor si se tiene en cuenta el sentido originario de la filosofía como especulación; filosofar es especular, es decir, leer en nosotros la imagen de la verdad reflejada en el espejo de nuestra alma. Educar es sacar desde dentro, es decir, habituar a ver dentro de nosotros, a escucharnos, porque dentro del corazón del hombre está presente la verdad que en él habla, educar por lo tanto, es lo mismo que filosofar, especular y esto es ya educación de la buena, fecunda en frutos de nueva vida. (Cfr, F. Sciacca, El problema de la educación).

¡Educar es pues, conducir a la plenitud, a la felicidad, a la perfección... A la excelencia! Educar es amar.

"Según Guzmán Valdivia, educación es el proceso cultural que consiste en el desarrollo integral de la personalidad del hombre".

"Según Sciacca es el proceso de desarrollo consciente y libre de las facultades del hombre en su integridad de espíritu y de cuerpo".

Habrá pues que avivar la inteligencia y fortalecer la voluntad, estas son las potencias especificamente humanas. A un animal se le amaestra, se le entrena, se le adiestra, pero solo al ser racional se le puede educar. "Si él quiere" dar motivos entonces para que el ser humano quiera realizarse a si mismo, quiera ser lo que es capaz de ser y por esto se vea obligado a conocerse cada vez mejor, a descubrir cuales son sus fuerzas más íntimas, a advertir las aptitudes y posibilidades que lo constituyen y ¡por consiguiente a realizar lo que siente que puede y debe ser!

El padre de familia, la madre y el maestro serán entonces causa eficiente remota de la educación, de la formación de la personalidad, del desarrollo integral del hombre y digo causa eficiente remota, porque la causa eficiente próxima ¡Es la voluntad del educando habrá entonces que dar motivos, saber motivar, antojar, entusiasmar, para que él quiera ¡crecer en su talla de hombre...!, que quiera enamorarse del saber, de la virtud.

¿Y cómo se logra tan ardua tarea?, viviendo el educador los valores y las virtudes que lo llenan de gozo y de alegría sinceramente, este será el mejor motivo para que los a su cargo quieran seguirlo, "Porque la esencia de la educación es preparar al hombre para la búsqueda de los valores", que se enamore pues de los valores, que vivan las virtudes, que quiera-querer, este es el principal papel del educador, lograr que así sea, "El amor y la verdad se juntaron y la justicia y la paz se besaron, la fidelidad brotó en la tierra y las bendiciones vinieron del cielo".

Estas palabras del libro de los Salmos, nos están hablando de valores. Valores que deberá encarnar el educador o cuando menos aspirar a ello, y si así no fuera... ¡que no se dedique a educar...! Hay muchos otros quehaceres en los que no perjudicará y tal vez sea feliz, porque se puede echar a perder todo, menos atentar contra la obra maestra de la creación: ***¡El ser humano!***

"El maestro enseña más con lo que es,
que con lo que dice".

Echemos un vistazo a los valores de que tanto se habla y muchas veces quedan en el aire, como algo incomprensible o inalcanzable.

La empresa y aquí vemos que la familia y la escuela son las empresas más importantes del hombre, es esencialmente comunicación. Y precisamente se comunican valores y virtudes o no es comunicación: La verdadera comunicación es estar en el otro, sembrando, fecundando su alma de bien y verdad principalmente, es lograr que el educando quiera apropiarse y vivir los valores de que se supone ¡Padres y maestros somos portadores!

La comunicación deberá ser interna en el personal de la familia y la escuela y de ahí, bien estructurada, deberá pasar a los hijos, a los alumnos que esperan la magnifica ayuda para lograr su formación integral... habrá entonces que preguntarnos si estamos respondiendo a esta necesidad, a las expectativas de los educandos...

La vida tiene grandes valores, si cuidamos estos y los incrementamos, conservaremos nuestra existencia y la mejoraremos.

Valores vitales: **El aire, alimento, agua, vestido, casa, el sueño, ejercicio, trabajo, dinero,** y aquí es donde meditamos, en donde nos enfrentamos a la palabra, **orden...** que es según Santo Tomás, la armonía, el ser conducido a sus fines y según San Agustin, la paz sosegada... orden es la palabra mágica en la vida del ser humano.

Valores psicológicos: mejoran la vida de la persona e incrementan la individualidad original del ser humano, **seguridad** (principia en la familia, la dan los padres con sus actitudes y relación), **pertenencia,** que también empieza en la familia (sentirse útil en su pequeña comunidad), **convivencia, enseñanza, estima, reconocimiento.**

Valores sociales: Encaminados al bien común, (**comunidad,** vuelta a la comunidad, no individualismo, no egoísmo). El **altruismo** como el secreto del éxito del ser humano, **responsabilidad, honradez, libertad, decisión** y **compromiso, derechos humanos,** la vida como el primero, **solidaridad, servicio, sinceridad, justicia.**

Valores espirituales: Perfeccionan más profundamente la calidad de vida. Lo más excelente de la existencia humana, la **paz, armonía** en el orden, el orden sosegado, **la alegría,** el distintivo de los cristianos, como decía Chesterton; Alegría de vivir, que se ve en el rostro y actitudes de padres y maestros, de educadores, valores de actitud, la alegría, privilegio de los grandes que tienen alma sencilla que tienen confianza en Dios, **bondad, belleza**.

Amor como el más sublime (Serafines=incendiados de amor), la mayor jerarquía, plenitud *Excelencia,* sentido de la vida, que nos lleva a la calidad total como personas, cero errores como adultos comprometidos, como mexicanos, porque tú eres mexicano y ¡México es el nombre de la esperanza de la humanidad! Creo que nosotros, los rebeldes, los conductores..., los hacedores de personas magnificas, estamos todavía en condición de..., ver, de creer en duendes, en hadas..., en milagros, ¡Si, en este tiempo que ya casi no se puede creer en nada...! Por que para nosotros, como dice aquel inmortal hombre de la mancha: "Con fe, lo imposible alcanzar". Me refiero a esto, precisamente porque se siente una vuelta a lo primigenio. Existe una nostalgia de todo lo bueno y lo grande.., del hogar, que quiere decir estar juntos, reunidos al calor, a la luz, a la verdadera palabra, ¡hogar! Vuelta a nuestras costumbres y tradiciones... ¡Vuelta a encarnar la realidad que se ha vuelto fría e insensible este es un grito de reclamo. El postmodernismo; este termino nace allá por 1957 en el ambiente empresarial. Según Max Weber y Donati, para este tiempo ya habíamos salido del modernismo, es pues una nueva era... ¡Y se plantea como el desencantamiento del mundo! Todo se racionaliza, se sistematiza, se economiza, es la era del racionalismo a ultranza y del economismo. ¡A casi todo se le pone precio...!

En este tiempo se pretende que el soporte de la vida, lo dan tres elementos, el mercado, que representa dinero, el estado que representa poder y encima de los dos, los medios de comunicación colectiva que representan la influencia... la persuasión.., a un consumo y a un estilo de vida.

Y es aquí en donde en el postmodernismo se sabe que estos tres elementos homogeneizados, no satisfacen las necesidades del hombre. Y el hombre se revela ante esto... ¡El ser humano, la persona, no es solo materia...! "Hay una primacía del espíritu sobre la materia"

Las consecuencias actuales masificación, soledad, falta de identidad, pérdida de valores sustanciales, vacío existencial, ¡suicidio! en este postmodernismo se advierte que hay contacto, ¡no comunicación!

Y es por esto que es el tiempo de las comunicaciones personales, es el despertar para darse cuenta que hay otros y que nos necesitamos comunicar con ellos y la más alta comunicación es el amor; ese estar empeñado en la felicidad del otro, en que el otro alcance su plenitud, en que esté encaminado a vivir la excelencia como persona, a vivificar el mundo con su desenfado de servir a los demás. ¡amor es conducir al otro a su perfección integral! Y ahí, es donde se da más perfectamente la relación personal. ¡Es el despertar, la resurrección de la comunicación personal!

¡Hombre y mujer, maestro y alumno, hermanos... no compitiendo, complementándose!, ¡la intimidad personal debe dar su toque a la realidad que se ha descarnado...! amor, como la suprema comunicación (La intención permanente del bien del otro. Santo Tomás)

Comunicación interpersonal, vinculación de almas, relaciones primigenias, volver a ver que lo sagrado sobre la tierra es la persona... ¡Este es el grito de la postmodernidad...!

En este estado de cosas en que se nos presentan los tres elementos, dinero, poder e influencia, salta como necesidad ineludible, lo que en alemán se denomina el *lebenswelt,* esto es: El Ethos Vital, la propia intimidad, los proyectos personales, el mundo interior, que deberá estar cargado de conocimientos y valores, el postmodernismo tiene a **ustedes** como principales protagonistas y yo los convoco a realizar la revolución del amor. "De la excelencia magisterial"..., ¡ahora o nunca!, la oportunidad es única ¡es una responsabilidad histórica..! es tiempo de cambio, ¡tú al centro para comunicar bienes y valores...! es tu compromiso histórico, es el destino del padre de familia y del maestro hoy, porque el hombre en su búsqueda constante anhela lo bueno, lo mejor, lo optimo, lo excelente.

Mi amiga Gabriela Mistral, una escritora y una maestra incomparable, nos dice: "Ya te diste cuenta que la naturaleza es un anhelo de servicio, sirve la nube, sirve el aire, sirve el surco. Donde haya un árbol que plantar ¡plántalo tú!, donde haya un error que enmendar, ¡enmiéndalo tú!, tú tendrás que ser el que aparte las piedras del camino, el que aparte el odio de los corazones, y las dificultades del problema.

Existe la alegría de ser bueno, de ser justo, pero hay sobretodo, la hermosa la inmensa alegría de servir. ¡Que triste sería que en el mundo ya todo estuviera hecho! si no hubiera un rosal que plantar, una empresa que acometer.

Que no te llamen tan solo los trabajos fáciles, te pido que hagas lo que otros no hacen, lo que otros no aceptan, porque es muy duro o porque compromete, pero no caigas en el error de que sólo se hace mérito con los grandes trabajos, hay pequeños servicios que son muy valiosos, como el adornar una mesa, peinar a una niña, arreglar unos libros, aquel es el que critica, ese otro el que destruye, se tú el que sirva, el servir no es faena de inferiores, ¡Dios que da el fruto y la luz sirve! pudiera llamarse así; el que sirve, pero El tiene fijos sus ojos en nuestras manos y nos pregunta cada día, ¿serviste hoy, a quién?

He recibido una carta, una carta para todos nosotros que nos dedicamos a la tarea sublime de transmitir conocimientos, valores y virtudes, a los padres de familia y a los maestros.

Dice así:

Querido Amigo:

Te he dado grandes tesoros, no son tuyos, son para que los compartas, atrévete a volar por encima de las estructuras y abrir nuevos caminos, yo lo hice en mi tiempo.

¡Que te faltan fuerzas, sácalas de adentro de ti! eres un universo entero para derramar luz, vida y calor a todos los que te rodean, recuerda que las puertas de la felicidad se abren hacia afuera, no te cierres, te amargarías, y los tristes, los amargados, "no sirven para nada".

Sabes, todos sufrimos a veces por la incomprensión de muchos ciegos y comodinos, yo también sufrí mucho, pero la obediencia y el amor hacían que siguiera yo mi camino, cumpliendo un destino que representara la razón de mi vida, había muchos que esperaban de mi toda su felicidad eterna.

"Ayer esperé todo el día a que tuvieras unos minutos para conversar conmigo, no llegó ese tiempo, estabas muy ocupado, también te hablé a través de las flores, del crepúsculo y del canto de las aves, pero tampoco lo advertiste, tenías tanta prisa, más tarde te grité suavemente en la caída del agua y el rugir del viento, que ajeno estabas en todo ello; tienes tanto que hacer, esperé luego a que llegara la noche para enjuagar tu frente y acariciar tu pelo, por que sabes: Te amo, te quiero tanto, pero tampoco fui invitado esa noche, así que solo contemplé como la luz de la luna a manera de beso tocaba tu cara y pacientemente vi como te dormías al fin, ¡con un enjambre de inquietudes dentro de ti!

Quiero verte fuerte, yo estaré siempre junto a ti, quiero presenciar que sabes amar a los demás, que tienes la energía para transformar y construir un mundo mejor, ¡te quiero cargado con la fuerza que lo renueva todo! que lo abraza todo a su paso, dejando una estela de esperanza, de fe y de amor, cuando lloras, no creas que tus lagrimas se pierden, son rocío precioso que ira a fecundar la tierra para que crezcan seres magníficos. Te veo, te sigo y siempre estoy aguardando a que tengas un tiempo para mí. Soy tu amigo, sueño con tus sueños, rio con tus locuras (así piensan otros) pero creo que sólo los grandes se atreven a tener locuras, sobre todo las locuras generadas por el amor.

No se te olvide, te quiero y te acepto como eres, eres un proyecto precioso en este tiempo tuyo y para la humanidad, porque mira, muchos antes que tú, han levantado imperios basados en la fuerza, yo espero que tú igual que yo, levantes un imperio basado en el amor. La fuerza más grande de la tierra, oye, a veces te veo triste, pensativo, esto me duele y te pregunto. Estás dormido o estás muerto, tú eres la vida misma, el que comunica gozo, alegría de vivir, rebeldía, armonía, esa armonía del universo entero que palpita dentro de ti, eres el sonido de una sinfonía, eres un ser maravilloso, tú puedes mover masas con tu entusiasmo y construye, construye, construye siempre. Con el sudor de tu frente fertiliza la tierra para que crezca la alegría de vivir, para que todos los jóvenes encuentren un sentido a su vida y puedan ser felices, quiero verlos a todos sonreír a la vida, te quiero fuerte, te quiero rebelde, te quiero para sembrar la tierra con amor, te quiero grande, con esa grandeza que solo alcanzan los que tocan a Dios, porque de ahí sale precisamente esta fuerza incontenible como un torrente.

"Te espero siempre, no te olvides, soy tu amigo y te amo desde la eternidad"

firma: Jesús el Maestro

Cualidades del maestro

1. Humanidad

Abrirlo a los auténticos bienes de la vida. Con su palabra, con su actitud, conducirlo a que descubra por él solo, por eso es tan importante la preparación del que enseña y del que aprende, no se le puede dar "de sopetón" a un hambriento, toda una cena...!

Qué hermoso es saber que mi maestro, el que guía, el que me enseña, siempre disculpa las faltas de los otros: "no sabemos qué hay detrás de esa conducta, no sabemos qué oportunidades tuvo de educarse, de ser mejor" -éste es el maestro- ¡amigo que yo amo...! Y sin embargo, él mismo es muy estricto en su conducta -no se permite nada y sonriente dice: hoy no pude, mañana temprano- ¡NO! hoy mismo empiezo un nuevo esfuerzo, una nueva lucha, él sabe que la vida es lucha y que lo mejor de ella está reservado para los valientes.

2. Prudencia

El sabe que ésta virtud empieza en el conocimiento de alumnos, de sus educandos, de sus hijos. Conoce individualmente a cada uno, de otra forma, no los podría conducir. La prudencia, virtud humana y cardinal, se define como: la actitud constante de la inteligencia para actuar cómo y cuándo se debe. Una de las virtudes más grandes, pero también más difíciles de alcanzar, deberá estar guiada por la razón e iluminada por el amor.

En cada actitud, el maestro parece que nos está diciendo: te conozco y quiero ayudarte porque te amo... adivino en ti toda la plenitud que puedes alcanzar; porque uno de los privilegios del que ama es poder ver a futuro la "actualización" de las "potencias" de su educando.

3. Conciencia y responsabilidad.

Le confían a las nuevas generaciones. Los padres y los maestros, como hacedores de un mundo mejor. Gran responsabilidad engendra este compromiso y principia consigo mismo. ¿Estoy consciente de lo que tengo en mis manos, de lo que digo, de lo que trasmito, de lo que hago? Viktor Frankl nos define al hombre como ser consciente y responsable -esto es muy profundo y encierra muchas cuestiones- es como darse cuenta del papel que cada uno desempeña en vida y responder a ese papel; pero en el que enseña, esto va más allá, pues no es sólo dar y comunicar, sino: darse y comunicarse.

"Educar para la libertad y para el amor, requiere de enseñar a servir"

4. Justicia

"La actitud constante de la voluntad para dar a cada quien lo suyo". Esto convierte ya al educador, padre o maestro en un ser con un estilo de vida muy especial. Está viviendo, cada día se prepara para vivir la justicia. No es que vaya a fungir como juez en caso necesario o a impartir justicia en su debido momento, es simplemente que ésta "actitud constante de la voluntad", la ha tomado como norma, como un estilo de vida propio. Luego, empieza por ser objetivo y no juzga a la persona, sino a sus hechos. Y los estímulos y sanciones, serán de acuerdo a la falta y no de acuerdo a su estado de ánimo, tampoco proyecta en sus educandos sus amarguras o frustraciones (en caso de que las tenga). El verdadero educador goza en el ejercicio de la virtud de la justicia como su forma de vida.

5. Fortaleza

Sabe exigir y dulcificar con el interés. El sabe que la mejor lección es el ejemplo; se exige a sí mismo y muestra un verdadero interés en lo que hace, él sabe que "el gusto por lo que se hace le da perfección a la obra". También con sus valores de actitud ante problemas y dificultades enseña que el hombre es fuerte y grande en la medida en que toma esos problemas y dificultades como retos y oportunidades para crecer, para ser mejor.

6. Espiritualidad

Es apóstol, es un enviado por voluntad propia para formar, para conducir hacia el bien y la verdad a aquellos que tiene encomendados, ya sea como hijos, ya sea como alumnos; pero se me ocurre citar lo que muchas veces he repetido: "la madre o la maestra, para realizar su vocación de madre y maestra, deberá ver en cada hijo a un alumno y en cada alumno a un hijo" igual lo creo para el educador, padre o maestro.

7. Preparación cultural

Sobre qué enseñar. Esto constituye una maravillosa aventura diaria. Los padres de familia verán a cada momento, ocasión de trasmitir algo valioso a sus hijos; igual el maestro, aprovechará todas las lecciones de su asignatura para enseñar valores, para trasmitir vida a sus educandos; entusiasmo por saber, ilusión por crecer como seres humanos.

8. Preparación psicológica

Para saber sobre los índices evolutivos de cada educando, en el orden: físico, psicológico, moral, social y religioso. Decimos que se trata de un crecer armónico, de un desarrollo integral; esto es, de todas las áreas de la persona.

A esta preparación le antecede un profundo "uso" del Sentido Común, no basta que se sepa que todos los seres humanos contamos con él, hay que usarlo; es como lo especulativo, práctico y normativo del hombre; si a esto se añade la finura de espíritu propia del que quiere ser maestro, tendremos a un buen educador; pues no hay que olvidar que a la ***Excelencia*** se llega por la exigencia diaria en los pequeños detalles.

9. Habilidad didáctica

Cómo enseñar: técnicas, material y formas de enseñar. Y no sólo me estoy refiriendo al ámbito escolar, al profesor, al aula además me estoy refiriendo al ámbito familiar, a los padres, a la casa... Pues se enseña con firmeza, pero con dulzura, con palabras, pero con ejemplo; sin olvidar que una cosa es educar y otra muy distinta es amaestrar; la diferencia está precisamente en el sujeto a educar y este sujeto es solamente el ser humano en razón de su inteligencia y voluntad. El animal es sujeto de ser amaestrado -golpes, estímulos, etcétera-, para obtener las respuestas deseadas: Habilidad y creatividad, estar empeñado en la plenitud del otro, de ese que Dios o sus padres han puesto en mis manos. Cada día es nuevo porque no hay monotonía para quien sabe amar.

10. Sentido del humor y alegría

Las ocasiones más difíciles se dulcifican con un buen sentido del humor y la alegría como forma de vida implica reciedumbre, fe en Dios y confianza en nosotros y en nuestros hijos, educandos. Y como no se va a tener sentido del humor y ver las cosas con alegría si a cada paso, a cada momento nos encontramos con "milagros" y sonrisas, con flores, con el sol y con nuestra propia existencia. ¿Has contado con tus dones? ¿Y la vida misma no es un gran don y una muestra de amor de los que te dejaron nacer? Esto es ya un motivo de alegría.

11. Salud y vigor intelectual

Mira, yo pienso que hay principalmente dos ciencias preventivas más que curativas: la medicina y la educación. Es entonces mucho mejor prevenir. Tú eres lo primero y no en razón de un egoísmo mal entendido, es que sin salud no sirves para nada y me refiero a la salud "integral" la del individuo (el indiviso): cuerpo, mente, espíritu... Un precioso equilibrio emocional que proyecte confianza en la vida y paz interior. De ahí precisamente es de donde sale ese vigor intelectual, de esa salud, de ese equilibrio perfecto entre tu naturaleza y sus fines. No la violentes, deja que se solace en los valores, que para valer está hecha.

Integridad. "No hay brillantes falsos, hay vidrios verdaderos".

12. Autoridad

Principia en un respeto a la libertad del alumno o del hijo y a su persona. La autoridad (palabra que viene de autor) es de servicio exponer todos los conocimientos y experiencias al servicio del educando. Se acepta por los argumentos verbalizados y vividos, por el ejemplo y la congruencia de vida. La autoridad forma y acrecienta la autonomía de los educandos.

13. Amistad

Confianza. "Creo en ti y en lo que eres capaz". Ayuda, tanta ayuda como necesites, pero ésta va cediendo en la medida en que el educando, el hijo va creciendo, una prueba de amor y de amistad es aprender a desaparecer; menos órdenes y más sugerencias. Amistad es exigencia y dirección. Cuando hay tolerancia hay amistad firme y ésta debe ser para toda la vida.

"El ser humano se agrupa no para unir
sus miserias, sino para comunicarse su
grandeza"

14. Diálogo

Conducir hacia la luz y motivar a la acción. Diálogo para descubrir juntos y para despertar el interés. Diálogo como la fecundación de espíritus que suscite ese torrente de vida que no deja de fluir nunca. Diálogo para ese estar en el otro sin que deje ser él mismo.

Educador y educando constituyen una comunidad educativa. Ahí se reúnen las aptitudes del educador y las disposiciones congénitas del educando que deberá ser dócil para dejarse guiar por quien sabe más, por quien lo ama y esta empeñado en su felicidad. La institución escolar, como la familia, debe convertirse en un seno espiritual en donde se establezcan creencias y costumbres.

"La educación es una ciencia de fines,
de transmisión de valores"

El educador deberá pues ser un portador y transmisor de verdad y de valores. Su autoridad se pondrá al servicio del educando para potenciar su espíritu y llevarlo a una meta de perfección personal. (tendencia a servir).

El maestro, está lleno de un gran amor a la juventud y deseo de cambio, porque sabe que siempre hay una forma mejor de hacer las cosas... es el maestro, el padre, el educador, tiene siempre grandes ideales. No es el que enseña sólo cosas o ideas, además prepara a sus discípulos ¡es el estímulo para buscar la verdad!

La educación esencial

Es el perfeccionamiento intencional e individual de todas las manifestaciones de la naturaleza humana. Actualización operativa de la cultura: Intelectual, Técnica, Estética, Moral y Religiosa. ¡Qué importante es la FE para saber vivir, para vivir con valor y de cara al sol!

La educación existencial

Es la capacitación para resolver o responder a toda exigencias de la vida. Humanización de la vida. Satisfacción de todas las necesidades humanas: biológicas y psicológicas (seguridad, dignidad, comunicación). En los ámbitos: familiar, profesional y social.

"Educar es ayudar a que ese ser que se te ha
confiado, realice lo que siente que puede
y debe ser"

Padres y maestros educadores como Líderes de *Excelencia*

Un ser humano excelente es aquel que influye en los demás, el que es capaz y puede transformar buscando siempre el bien de todos.

Excelencia es saber amar y ver siempre las cualidades en las personas, buscando constantemente su bien.

Excelencia es saber servir con gusto y ayudar, pues se sabe que entre todos; siempre hay una forma mejor de hacer las cosas.

Excelencia es privilegio de los padres y los maestros que están permanentemente en contacto con el Creador a través de la naturaleza y la oración.

Excelencia es saber dar gracias por todo; por la vida, por la fe, por la alegría y el dolor y por recibir la sonrisa de un niño.

Excelencia es saber comunicar paz a los demás, resolver problemas y enfrentar dificultades. Pero no hacer por otros lo que éstos puedan hacer por sí mismos.

Excelencia es saber proteger sin asfixiar. Saber guiar sin imponer. Saber motivar para que los que están a nuestro cargo se enamoren de la verdad y sean sabios, se enamoren de la belleza y sean artistas, se enamoren de ***Dios*** y sean santos..., se enamoren de su Patria o de un ideal común y sean héroes.

Excelencia es saber vivir las virtudes y contagiar con el estilo propio de vida esa felicidad que comunican la Prudencia, la Justicia, la Fortaleza, la Templanza y el Entusiasmo.

Excelencia es tratar a todas las personas con la mayor delicadeza y finura, así verán los míos que el rango y dignidad de todas las personas es muy alto.

Excelencia es saber decir Si a la vida porque camino confiado de la mano de ***Dios.***

Excelencia es saber para ayudar a formar hombres y mujeres de gran talla que sean capaces de construir sociedades más justas y sobre todo, que den gloria a ***Dios.***

Los hacedores de las nuevas generaciones

Padres y maestros se han comparado en estas líneas pues considero que el padre de familia es partícipe de la creación en la medida en que Dios le ha permitido engendrar vida, en el seno de la madre que es la depositaria de ese milagro. Así, el maestro es capaz de engendrar vida al espíritu de su educando y los dos, seguir a la luz, a la plenitud, conducirlo de la mano por los Senderos del Bien y la Verdad, sembrar, cultivar. Preciosos frutos darán los hijos y los alumnos y los alumnos del amor, serán seres libres y responsables, se les ha transmitido esa semilla que les fue preparada para que sean fértiles.

El maestro como enlace entre familia y escuela

Este binomio es importantísimo, los dos trabajando de común acuerdo en conducir, en guiar al muchacho hacia su perfección, hacia su bien, hacia su felicidad.

Familia y escuela se funden para formar esa comunidad en donde se establecen creencias y costumbres, que deberán estar respaldados por la conducta, por las actitudes, por las palabras de padres y maestros... es un deber ser, en el servicio y para el amor. Potenciar su espíritu para que ese nuevo ser ilumine todos los caminos de la tierra.

¡Maestro, acércate a los padres de tu discípulo!, ¡Padres, entablen comunicación con los maestros de sus hijos! Además esta relación cimienta los lazos de amistad y unión entre el muchacho y sus guías, fortifica también la confianza en sí mismo, pues se da cuenta que es un ser importante, pues en los momentos necesarios, tiene a personas que lo aman, en la casa y en la escuela. Y si la infancia del muchacho se ha cuidado, es muy difícil que se presente una adolescencia "tormentosa"; como ya antes mencionábamos: la Educación y la Medicina son dos ciencias preventivas, más que curativas.

Es principio de sabiduría, del "saber vivir", el ir en cada etapa preparándose para la siguiente y apoyándose en dos pilares: ¡la fe y el amor! No conozco dos armas más poderosas para enfrentar la vida, los problemas y siempre salir airoso y triunfante.

No olvidar que las calificaciones son un termómetro de como se está desarrollando la persona, que tendrá siempre primacía sobre el estudiante, y no etiquete a su hijo, no etiquete a su alumno... Primero investigue las causas si son adecuadas las calificaciones, porque no será solo fracaso del muchacho, lo será también de los padres y del maestro.

Amigos de la Excelencia, del padre y del maestro

Identificación con la institución. Siempre hemos pensado que el matrimonio es cuestión de personas maduras, adultas y siempre hemos pensado en que el profesor, el verdadero maestro, también se encuentra bajo esta jerarquía humana: madurez y adultez, como en ninguna otra ocupación, necesitamos padres de familia y maestros verdaderamente sanos integralmente, bien equilibrados emocionalmente.

¿Está pues el maestro, el profesor identificado con su institución? La conoce, la ama, sabe las reglas del juego; y dije esto porque una Escuela que cumple sus fines deberá ser necesariamente una Institución digna de ser amada. Así, los padres de Familia, deberán estar conscientes de qué significa la Institución a la que pertenecen, a la que voluntariamente se han afiliado y que tiene como fines: la ayuda mutua y la promoción de la juventud al estado de virtud. Esa plena identificación implica una entrega en una jerarquía de valores y en una jerarquía de deberes, si alguno de éstos se altera, hay desorden y en el desorden no prospera nada.

1. Comprensión de la tarea educativa

Que empieza conociendo al que Dios o sus padres han puesto en mis manos. Es un hacerlo crecer, es ayudarlo a conocerse y a conquistarse. Es respeto al educando. Es de tiempo completo en caso de los padres y sirve para lograr hacer del sujeto un "administrador responsable de su propia libertad". Una tarea que no termina nunca, pues el hombre es perfectible hasta su muerte. Pero no olvidar el principio de su subsidiaridad "tanta ayuda como sea necesaria e ir quitando esa ayuda para acrecentar su destreza en la vida su eficiencia, su eficacia y la confianza en si mismo".

2. Abundante preparación docente

Esto es en cuanto al profesor, que deberá ser maestro de asignaturas y maestro de vida, pero más preparación como padre y madre, pues se supone que la familia está diseñada para toda la vida, resulta, si es estable y armónica, ser la zona de seguridad del individuo.

3. Actualización de conocimientos

Es fascinante para los maestros estar al tanto de los cambios, de los avances de la ciencia, de las técnicas didácticas, etc... Y para los padres permítanme contar un cuento que no recuerdo donde lo oí alguna vez:

"Era una vez un viejo pescador que por años se había sentado todos los días en el mismo lugar, a la orilla de un río a pescar; cuentan que ya tenía hasta hecho por su propio pie, un camino de su casa a ese preciso lugar del río... pero años después, ese pueblo también fue invadido por la civilización (que a bien no sabemos si es adelanto o atraso, compostura o descompostura) por lo que consideró que había que cambiar o cuando menos desviar gran parte del cauce del río para otra parte, pues por ahí, pasaría un gran camino vecinal; aquel viejo pescador, siguió yendo a pescar al mismo lugar, sin hacer caso de las indicaciones, que le advertían que ya no encontraría los mismos peces, pues el caudal había disminuido considerablemente. Pero el viejo no quería cambiar de sitio se empecinaba en estar siempre en su mismo lugar, aduciendo a que por años, él había pescado ahí y ese era el lugar indicado...".

Este pequeño cuento; encierra para nosotros los padres y para los maestros, grandes enseñanzas, sobre todo la de irnos adaptando al tiempo en que están viviendo nuestros educandos, nuestros hijos, naturalmente, esto corresponde a la virtud de la flexibilidad una de las más difíciles de conseguir, pues implica madurez, dulzura y reciedumbre. Adaptarse, no quiere decir volverse un "modernista" o un juveniloide... adaptarse quiere decir aceptar lo nuevo, considerado como una mejora para todos, no fijarse en lo superfluo y "no ceder" en lo importante; en los valores eternos e inmutables, en nuestra fe. Así que padres de familia, maestros empiecen a ejercitar la flexibilidad.

A veces la brecha generacional se agrava y los problemas entre padres e hijos adquieren, no pocas veces, tintes dramáticos cuando los padres, sea cual sea su edad, no han logrado la plena madurez mental y psíquica que supone el pensamiento ponderativo a que acabamos de hacer referencia. Son incapaces de comprender a sus hijos adolescentes porque no logran salir de sí mismos y ponerse en su lugar; tal vez han olvidado ya cuando ellos mismos estaban en esas etapas. Así que el problema es doble ya que, los hijos se sienten injustamente incomprendidos y dominados. Por otro lado, no tienen un modelo comprensivo y adulto del cual aprender, por lo que se resiente su propio proceso madurativo.

El adolescente se irá autoafirmando y viendo más claro a causa del incremento en su capacidad de razonamiento lógico, de análisis y de síntesis, sopesar pros y contras del conocimiento de sí mismo y de sus capacidades. A todo esto hay que añadir un cierto apaciguamiento en lo sexual, precisamente por el logro y la reafirmación plena de su identidad sexual. De manera gradual, el adolescente va consiguiendo su plena identidad sintiéndose y comprendiéndose mejor a sí mismo y a su propia intimidad, con un mayor control sobre su entorno y sobre sus propias emociones.

Con lo cual, volvemos a sugerir la conveniencia de ser más flexible ante las nuevas situaciones y modificar los criterios si así lo aconsejan razones convincentes. Mostrar frecuentemente sentido del humor y HUIR DE LAS DRAMATIZACIONES. Además: PROHIBIDO PROHIBIR. Aceptarse, respetarse y aceptar a los hijos como son y dejarlos ser ellos mismos. Razones en vez de fuerza. Diálogo en vez de dominio.

4. Disciplina y perseverancia

Este es un precioso rasgo de la personalidad madura. Pues ya es conocido de todos que ***no se llega a la Excelencia más que por la exigencia.*** Uno de los valores de actitud más calificados para educar. Disciplina no es intolerancia ni rigidez de costumbres, no hay que olvidar que la "monotonía" rompe el encanto de la vida; disciplina no en lo contingente, sino en lo importante, en lo que mejora como Persona.

Perseverancia para llevar a feliz término lo iniciado por insignificante que parezca; ***de pequeñas cosas están compuestas las grandes hazañas...*** Las obras maestras en todos los géneros están hechas con estos dos elementos, las grandes vidas, las ejemplares, están fincadas sobre estas dos magnificas columnas: disciplina y perseverancia.

5. Vocación de servicio a los demás

Ya hemos mencionado en diferentes ocasiones la importancia de este concepto, pero quisiera traer a estas líneas, ese magnifico pasaje del Evangelio narrado por San Mateo, con toda su sencillez y profundidad: (20, 20-28):

"Jesús los llamó y les dijo: Ya saben que los jefes de los pueblos los tiranizan y que los grandes los oprimen. Que no sea así entre ustedes. El que quiera ser grande entre ustedes, que sea el que los sirva, y el que quiera ser primero, que sea su esclavo; así como el hijo del hombre que no ha venido a ser servido, sino a servir y a dar la vida por la redención de todos".

Pero esta vocación, esta actitud de servicio generoso con los demás, se aprende en la medida en que la vemos en nuestros padres, en nuestros maestros, en nuestros líderes, vivida por los que nos educan, porque educar para la vida requiere en esencia de enseñar a servir.

6. Disposición a colaborar

Muy ligada a la anterior; es esa entrega generosa del que está pendiente de todo y de todos. Adivinar el momento en que somos necesitados del educando, por el hijo o por el seguidor, será una prueba de amor a los nuestros. Qué alegría es convivir con personas de esta clase. Es sentirnos siempre acompañados, es sentirnos importantes.

7. Iniciativa y acción

No ''activismo'' uno de los males de la época; es aquel que va y viene y no hace nada; es aquel que siempre dice estar ocupado y no resuelve nada. Esto lo único que hace es poner nerviosa e irritable a la persona, paralizándola en la verdadera acción, iniciativa y creatividad. Iniciativa y acción es hacer con efecto implica una intención aunada a una consecuencia y está como todo, impregnada de amor. Un hacer para dar color y sabor a lo cotidiano, a lo sencillo y a lo importante. Para llenar de entusiasmo a los demás.

8. Aprovechamiento del tiempo

Aquí entra la virtud del orden basada en una jerarquía de valores. Hay un tiempo para nacer y un tiempo para morir, un tiempo para sembrar y uno para cosechar, hay un tiempo para cada cosa y cada cosa a su debido tiempo. Orden para una salud integral y para una mejor forma de vida, para mejores y mayores logros.

9. Disposición para aprender

De todos y de todo. La curiosidad y la docilidad, igual que la humildad son cualidades preciosas en padres, maestros y alumnos, en líderes y seguidores... La posesión de la verdad, de nuevos conocimientos que enriquezcan el yo es el estado de felicidad del espíritu. Esta disposición es también una disposición a vivir.

10. Exigencia personal

Es un ir pregonando: Quiero ser mejor, pero no para envanecerme, sino para tener más que darte a ti, mi hijo, a ti mi alumno. Ser exigente apuntando a la perfección , siempre ahí, como la estrella que guía mi vida. Y su contraparte: ser tolerante con los demás, amar y disculpar van de la mano.

11. Generosidad en el trato

No nos cansaremos de repetir la importancia del trato amable. "Más se consigue con dulzura" decía un viejo inolvidable. Que cada persona que trates, sea tu hijo, sea tu alumno, sienta que es importante para ti, más aún, cada persona que trates en tu entorno, que piense lo mismo. El buen trato genera confianza y rompe el hielo rompe barreras, se establece una comunicación en el respeto, sobre todo si se trata de un ser superior a un inferior. La generosidad en el trato empieza con una sonrisa que quiere decir: te doy mi tiempo para tu bien. Esta generosidad, esta amabilidad, permite abrir el corazón del otro y hace más fácil la convivencia; ya lo dijimos, el hombre no se agrupa para comunicarse sus miserias sino para participar de su grandeza que se encuentra principalmente en su magnanimidad. ¡Y qué alma grande no es capaz de dar buen trato a sus semejantes! Los padres y los maestros estamos comprometidos sobre todo a "enseñar con el ejemplo; fuera los ceños fruncidos, guerra al mal humor; hay que recordar que es más fácil proyectar bondad, felicidad, paz, armonía; así, los que se están cultivando a nuestro lado, tendrán el clima adecuado para llegar a ser eso para lo que fueron creados, esa obra de arte humana que cuando fue engendrada estaba en la mente del Creador.

12. Humildad y espíritu de superación

Primero, definamos humildad a la manera de Santa Teresa. Humildad decía, es "andar en verdad". Y naturalmente, para se humildes, hay que conocernos;

como que éste es un principio categórico que está en la base de toda existencia que vale la pena...

Conocerse, en sus cualidades, capacidades y en sus defectos, no para presumir, sino para saber con que cuento para servir a los demás, porque ya lo dijo alguien alguna vez: el que no vive para servir, no sirve para vivir. Conocer también mis defectos, esas inclinaciones que a veces nos hacen hacer lo que no queremos y no hacer lo que queremos... ¡saber que puedo dominarme empezando cada día! "aprendí del campeón de ciclismo que había llegado a serlo porque se cayó 100 veces y se levantó 101" Y, de ahí, del conocimiento de uno mismo, partir hacia las metas fijadas y actuar en consecuencia y por qué no: en equipo. Ser honesto para advertir a los que nos aman que no hemos podido con éste o aquel defecto o debilidad, pero que esperamos de su ayuda para poder vencer en la batalla... "sentir que no estamos solos esto es importante".

Pasos muy importantes para realizar esa superación es:

Primero: darse cuenta de que queremos superarnos.

Segundo: fijar metas REALISTAS (se supone que ya nos conocemos); ahora debemos CONQUISTARNOS y...

Tercero: tomar decisiones, naturalmente, para ACTUAR.

Y lo más hermoso, que este espíritu de superación nos acompañe toda la vida, como el mejor legado para quienes nos siguen en este camino de lucha; luego el espíritu de superación va de la mano de la fortaleza, de la garra, del coraje de remontarme más allá de mi metro y medio, de mi estatura física. Y si me preguntaran ¿para que ese afán? Respondería, que para realizar mi destino humano.

13. Amor por las personas y el trabajo

Y todo en jerarquía, en armonía; sin violencia, sin desorden. La nueva civilización basada en el amor, resulta para muchos una utopía. Pero déjame decirte que en la medida en que más capacidad de amor tengamos mayor felicidad construiremos, y nunca he encontrado que una persona que ame, que sepa amar, sea sujeto de psiquiatra. El verdadero amor y ya lo hemos dicho, es "estar empeñado en la felicidad del otro" - y el otro es mi esposo, mi hijo, mi alumno, mi amigo, mis padres, mis parientes... todos.., todo el mundo- ¿Te puedes imaginar entonces lo que sería una civilización fincada en el verdadero amor? "un sueño" ya lo sé, pero por lo menos te invito, vamos a intentarlo.

Las cárceles, los reformatorios, los hospitales, están repletos de personas a quienes nadie las amó; los grandes males de la época: falta de identidad, violencia, adicción, depresión... en personas a quien nadie las amó. Quieres más demostración de que ante todo, el ser humano es un ser que está hecho para amar y ser amado y, no lo dije yo, hace 2000 años alguien lo dijo como su principal mandato; podría ser el más sencillo y sin embargo, cada vez se cumple menos, cada vez más neuróticos "amándose" ellos solos... Voy a recordar aquí unas palabras, una frase lapidaria que aprendí de Santa Teresa, su descripción del demonio: "ese pobre desgraciado que no puede amar". Terrible, ni siquiera puede salir de sí mismo, pues en su contacto con la realidad, todo le hablaría de la Divinidad y esto no lo soporta.

14. Amor al trabajo

Como una correalización personal, porque me gusta, por medio de él, sirvo a los demás... y no sólo por lo que me pagan. "El gusto por el trabajo da perfección a la obra" dijo Aristóteles. Así, en la medida en que nos guste lo que hacemos, las cosas saldrán mejor y nosotros, al contemplar el deber cumplido, con amor y mucho gusto, seremos inmensamente felices. Yo compito conmigo mismo, no con otras personas; cada día me esmero por hacer mejor lo que me toca, cada día un poquito mejor, ese es el secreto de la ***Excelencia...***y sólo ese. El trabajo tomado así es creativo, despierta el interés y da frutos; el hacer algo monótono y sin gusto, provoca tedio y desalienta... en esto no se encuentra el gusto, ni el bien, ni la perfección, ni la ***Excelencia,*** ni la felicidad; Ese es el tipo de trabajo que los que ahora son niños, no quieren imitar de los adultos; las actitudes de nosotros, los padres, los maestros y los líderes, serán como un contagio bueno o negativo en la mente infantil hacia el trabajo; que quede claro: el trabajo es una bendición, no un fastidio; el trabajo me disciplina y me permite servir a los demás, el trabajo me hace crecer y me compromete; el trabajo hace que yo me mida en mi talla de hombre.

Y como todos somos maestros, hay que estar siempre en disposición de aprender de todo y de todos, cada ocasión en la vida, cada encuentro con alguien o con algo, nos ofrece una oportunidad única de aprender

Aprendí de un niño

Ya hemos dicho, que las calificaciones sólo son un termómetro, ese crecimiento armónico del espíritu que es la verdadera educación, un termómetro y no otra cosa. Pues bien, se trataba de Francisco, un pequeño de casi nueve años de edad que cada día iba de mal en peor en la escuela; sus calificaciones iniciadas en 8 y 9, habían bajado en 4 y 3, la disminución era mensual y el niño ya no encontraba mucho gusto en ir a la escuela, más bien, llegó el momento que ya no quería ir. ¡Qué importante es saber escuchar a un niño, a veces en su silencio! parece estar diciendo: papá, mamá, profesor, "¿Pero, es que no sabes qué tengo? ¿No ves qué me está pasando?" Sólo, al ver sus ojitos, se podía advertir que esa chispa de alegría y de vida, estaba desapareciendo... En su casa, los regaños porque sus notas eran cada vez peores, en el Colegio el profesor se molestaba con él porque no atendía en clase, era muy "latoso", no prestaba atención y no trabajaba bien ni traía las tareas; Francisco se estaba volviendo un verdadero problema. Y en casa, para llamar la atención cada día se portaba peor, era muy inquieto. Así las cosas, un día la mamá fue a la escuela, quería entrevistarse con el profesor y saber qué pasaba con su hijo. El profesor le expuso lo anterior referente a su comportamiento en clase y sugirió a la mamá que en pruebas psicológicas que a menudo se practicaban en la escuela inscribiera a Francisco y así podrían darse mejor cuenta de lo que le pasaba. En este caso, había una gran fuerza, una gran voluntad por parte de la madre para ayudar al hijo de su corazón y ella sola se sentía impotente. Las pruebas se realizaron y la psicóloga dijo a la madre de Francisco que éste era un chico encantador y muy listo. El niño con frecuencia había comentado a su madre: "yo soy tonto mami", a lo que ella respondía con firmeza: "no es cierto mi amor"; pero con los regaños en casa y en la escuela, Francisco ya se estaba creyendo deveras que él era un tonto.

Continuó la conversación con la psicóloga y ella explico a la madre que los test apuntaban lo siguiente: el niño, teniendo casi nueve años de edad cronológica, presentaba emocionalmente una edad de seis y medio años, en su persona había desequilibrio y es por ello que a veces se mostraba inquieto, no podía estar quieto ni prestar la atención propia de un niño de nueve años. También estas pruebas revelaron que el niño estaba muy atrasado en cuestión académica y así, cada día se le dificultaba más seguir la lección y comprender lo expuesto, muy difícil entonces hacer las tareas, por esta causa era reprendido en la casa y en la escuela, casi había perdido el gusto por estas dos instituciones. Su mundo en esa época de la vida, su seguridad para toda la vida, ¿pero cuáles eran las causas reales de esos resultados en las pruebas psicológicas? Se le pidió a la madre que relatara todo lo que recordara referente a Francisco desde que este era muy pequeño. Así lo hizo: "Mi hijo, es el tercero de tres hombres, es el más pequeño y esto para él fue nefasto. Su hermano mayor, esperado por muchos años, acaparó la atención de todos cuantos le rodeaban, empezando por el padre. A los dos años, nace el segundo, tan bello y simpático que vino a cerrar el círculo de atención y de afecto, nada quedaba o muy poco para albergar en ese mismo círculo al pequeño que llegó un año después. Por añadidura y para colmo, ese tercero no era tan bello como los otros y además "otro hombrecito"... El niño sólo contaba con el tiempo y el amor de su madre, pero Francisco quería tomar parte y ser centro en la "fiesta" de la vida de los otros dos hermanitos, sobre todo cuando ya se daba cuenta.

Las cosas se fueron agravando cuando, por llamar la atención del padre, el pequeño hacía ruido y gestos poco agradables, igual, su voz era muy fuerte y parecía gritar cuando platicaba; bromas pesadas y hasta romper algo o tirar cosas en la mesa... "parecía gritar sin hacerlo: papá, fíjate en mi...!" Y claro que se fijaba, pero solo para reprimirlo cada vez que cualquiera de esas cosas sucedían.

¡Qué torpes somos a veces los adultos, no entendemos de silencios, no entendemos de comunicación nada! Y así se fue formando un círculo difícil de romper. Al mismo tiempo, estas conductas eran transferidas por Francisco a la escuela y sin embargo, el niño con todas las demás personas se mostraba encantador y muy servicial.

Este trato con los demás, le ganaba el afecto y el cariño de todos -era un niño amable-. Pero a él lo que le importaba era que en su hogar se le tratara igual que a sus hermanitos, por lo cual, también adoptó una mascota de peluche que se convirtió en su compañero. inseparable hasta casi los once años. A los seis y medio años de edad se había "fijado" su evolución emocional.

Ya antes hemos mencionado que la medicina y la educación son ciencias preventivas mas que curativas y si a esto añadimos el que nadie se hubiera dado cuenta de la anormalidad que presentaba Francisco, se le habría causado un gran daño, hubiera perdido la confianza en si mismo y lo peor , se hubiera sentido tonto incapaz de nada en la vida... Y es muy probable además que no hubiera podido en su época adulta, entablar una relación duradera con amigos o con su pareja, novia o esposa; o una permanencia agradable en ningún trabajo.

En el caso de Francisco, se hubieron de poner de acuerdo en casa y en la escuela para trabajar duro y en conjunto, hasta lograr que el niño tuviera el mismo desarrollo en todas las áreas de su persona. Ahora es un muchacho incomparable que sabe que las cosas que valen, como el cariño de las personas, hay que ganarlo a pulso y sabe que los problemas son solo retos... Este muchacho seguro será un triunfador en la vida. Por lo pronto es feliz.

Aprender de los hijos, de los niños en general, es abrirse al diálogo del universo, es sintonizar la mente en una dimensión trascendente.

Aprendí que el cariño y el prestigio se
ganan con la actitud ante la vida y el
respeto ante las personas, con detalles
y una congruencia entre lo que se dice
y se hace

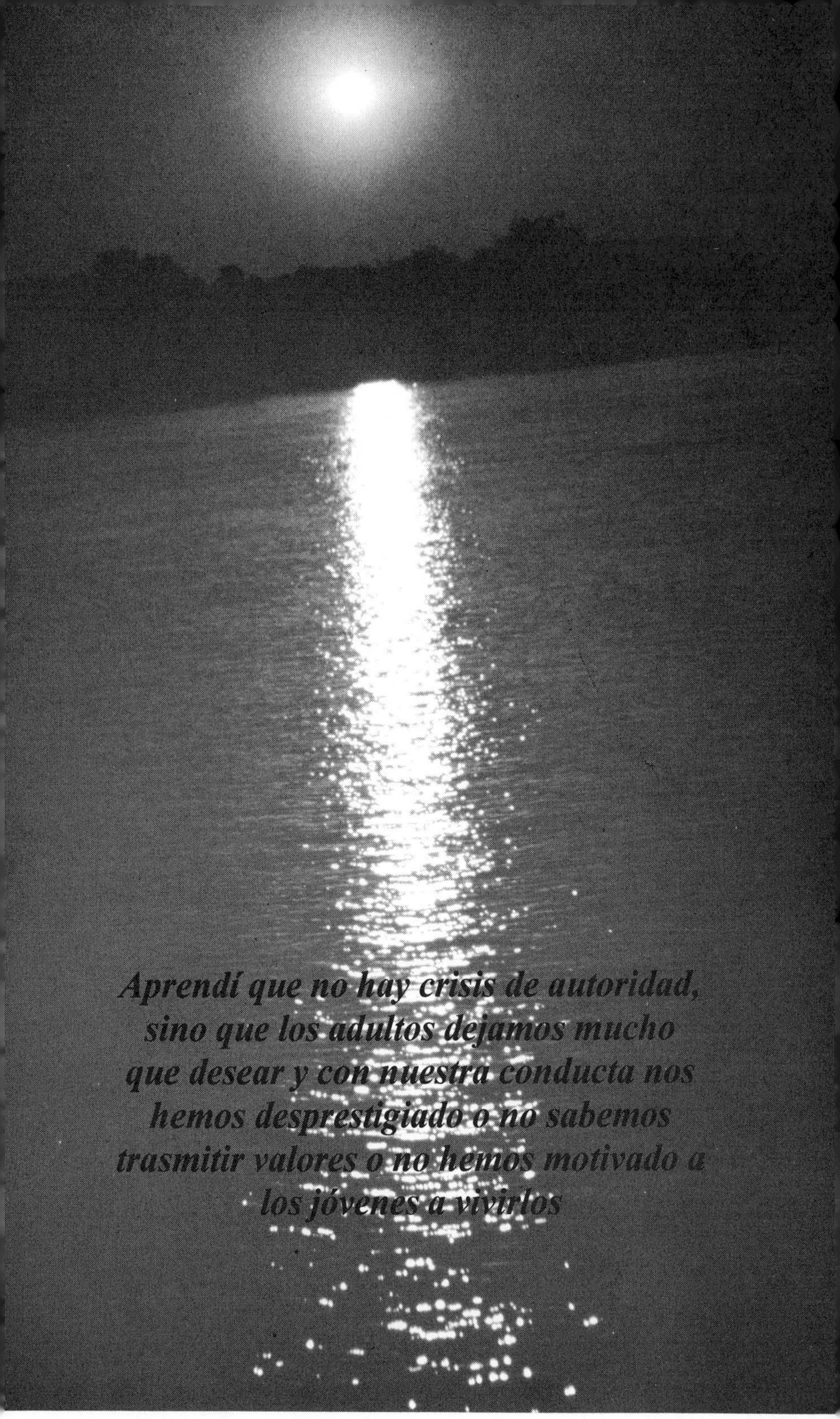

Aprendí que no hay crisis de autoridad, sino que los adultos dejamos mucho que desear y con nuestra conducta nos hemos desprestigiado o no sabemos trasmitir valores o no hemos motivado a los jóvenes a vivirlos

"En busca del conocimiento"

Hoy tengo la actitud positiva y mi mente abierta para conocer lo que se encierra en mí, en las personas y en ***Dios.*** Este conocimiento me llevará a la armonía.

Cada día aumentaré calidad a mi persona. Yo sé que a la ***Excelencia*** sólo se llega por la exigencia. Cada día un esfuerzo y sentirme consciente de que soy responsable de mi conducta y dueña de mi destino.

El conocimiento de mi persona, de mi trabajo y de la gente que me rodea, enciende en mí la chispa del entusiasmo para generar cambios basados en la riqueza espiritual y material.

Conociendo a fondo los problemas que se me presenten, encontraré la semilla para resolverlos, pues cada problema encierra su propia solución. El resolverlos añade estatura a mi ser.

La educación en sentido amplio, es un factor de conocimiento que permite los grandes cambios en lo económico, en lo social y en lo moral. Cada día haré algo para superarme.

Yo sé que no podré alcanzar el Éxito mientras no descubra los obstáculos que me impiden llegar a él.

Hoy saldré impregnada de todo mi esfuerzo, trabajaré en cuerpo y alma.

Mi libertad me permite llegar al conocimiento y a la plena realización como persona. Me conoceré para aceptarme, conoceré a mi esposo para respetarlo, conoceré a mis hijos para guiarlos y a la gente para amarla. Conoceré a mi Creador para darle gracias todas las noches de mi vida.

Aprendí de los padres y maestros

Que cualquier hombre de bien, resultará ser un rebelde ante la sociedad en la medida en que no encuentre su lugar en la vida.

Transformar el mundo en que vivimos, tomar lo mejor de lo de antes y lo mejor de lo nuevo; ofrecer lo mejor de sí mismos para que los otros, a los que amamos, se perfeccionen; no importa que sea uno solo, recordemos: "solo un granito de levadura para transformar toda la masa". Formemos líderes, no niños sumisos, por palabras o por golpes; fortalecer su voluntad de servicio y su deseo de cambio para lograr mejores sociedades y sistemas más justos.

Los padres y los maestros como portadores y transmisores de valores, porque recuerdo las enseñanzas de un viejo maestro "Si quieres corromper las sociedades, corrompe a sus mujeres". Y es que también aprendemos de la historia, como de la gran maestra. Sabemos por ella que las más importantes civilizaciones han decaído no por su "economía", sino por sus valores morales. "Dar al ser humano ciencia, arte, moral y religión para que alcance su destino de hombre"

Aprendí de mi hijo

Que la posesión del conocimiento es la felicidad del espíritu.

Todavía recuerdo esa tarde en que trataba yo de explicar los quebrados a mi hijo... Era cosa tan difícil para él comprender tres cuartos, ocho sextos, etc... y cuando estábamos tratando de explicar, yo notaba que él estaba triste, me lo decía su carita, triste y preocupada, yo tenía como tres días de estar en la escuela en eso y él no lograba comprender cómo se hacían esas "mugrosas" operaciones.

Tomé una manzana y la partimos, después un bolillo, etc después empezamos con trocitos de plastilina, la verdad era divertido y propiciaba una comunicación tan perfecta: era el amor que mueve a estar en el otro para que se apropie de un valor, en este caso de ciencia, de verdad por fin, después de una de las operaciones, que él había podido resolver bien, respiró hondo y levantó su carita hacia mi, sus ojos brillaban como nunca y tenía una sonrisa encantadora, por fin: había hecho suyo el conocimiento y estaba feliz.

Aprendí de la naturaleza

Que hay que conocer sus leyes

"Un cuento a futuro": Era una mañana gris como todas. Ella no podía hablar a los niños, sobre el sol brillante o el cielo azul clarísimo de México... creo que hasta los ángeles se habían cambiado de cielo, así que tampoco les podría hablar de ángeles.

Antes de empezar el paseo que sería el de ir a visitar un museo, como parte del conocimiento de la Historia y de las costumbres de los antepasados, el grupo de vacacionistas, se detuvo en una "Boutique de Agua" ¡gran negocio! para ese entonces el vender agua, como en un tiempo había boutiques de relojes o de ropa de marca, eso ahora ya no importaba, ya no había nada exclusivo la fabricación en serie los había invadido. Pero de lo que sí había boutique era de agua y de oxígeno; así que se tomaron un tiempo (cosa entonces muy apreciada, pues la gente vivía un promedio de 20 años -contra todos los pronósticos de los "sabios" de finales del segundo milenio-). Para recargar sus cantimploras con el líquido precioso y llenaron sus tanques de oxígeno para ese fin de semana; naturalmente esto es cosa de ricos, pues no cualquiera podía adquirir tan preciosos productos.

El alegre grupo llegó al Museo, un edificio precioso, muestra de una arquitectura sin tiempo, característica de las obras maestras de las obras de arte; salas amplísimas presentaban vestigios de pasadas civilizaciones y ahí, en el lugar principal, unas vitrinas muy bellas, había que acercarse para contemplar lo que ahí se guardaba con tanto celo... al pie de la exposición principal un letrero: "Estos ejemplares, árboles, flores y pájaros, principales agentes de una ecología diseñada por el Creador, para que el ser humano, viviera y se desarrollara en salud", estos seres fueron desapareciendo bajo la imprudencia del único ser de razón en la creación y a pesar de la ciencia, no se han podido "fabricar".

Aprendí del Rey David.

En su salmo 130.. "Señor mi corazón no se ensoberbece".

Aprendí que sólo somos "instrumentos" de Dios y que por más gloria o éxito que tengamos, no es nuestro el mérito ni la gloria ni el éxito; sólo hemos puesto "la antena en sintonía" para trasmitir. Así que después de un gran éxito, por la noche, entierra tu soberbia; cómo quisiera yo que los gobernantes imitaran al Rey David y cada noche enterraran su soberbia. Porque además, cada mañana se levanta con más vigor que el día anterior y nubla el entendimiento deformando la realidad y haciendo actuar mal al que la padece.

Aprendí como superar un fracaso.

Me di cuenta que había proyectado mal mis planes; tal vez esto nacía de la falta de conocimientos de mi mismo... hasta dónde podía llegar, cuáles eran mis limites. ¡Echarle la culpa a quién o a qué. Eso tampoco podía hacerlo, es engañarme a mí mismo, es un signo de inmadurez. En fin, ya estaba enfrentando el fracaso, la frustración y era la hora de la verdad: aplastarme como un gusano o recuperar fuerzas, empezar de nuevo y hacer un nuevo proyecto; esto último era lo adecuado, hablaba del coraje de vivir, de la fuerza por querer lograr algo, por trascender. Pero el principal ingrediente del manejo de mi frustración, era la fe, inmensa como un océano, pero insuficiente a veces en nuestra debilidad... La fe me movía a pesar que aquello a lo que me había abocado con tantas ganas, a lo mejor no estaba de acuerdo con la voluntad de Dios y entonces, aunque me costaba trabajo asimilarlo, empezaba a venir la calma primero y después la fuerza para intentar de nuevo un proyecto; como decía Santa Teresa cuando la vencían: "Teresa sola no vale nada...; Teresa y un maravedí, valen menos que nada; pero Teresa, un maravedí y Dios... lo pueden todo!

Depresión no, ¡fe!. Tristeza no, ¡confianza!, confianza como un niño que duerme entre los brazos de quien lo ama.

Aprendí del amanecer, del atardecer

Parece imposible, a mí que soy amante de la belleza, no me ha parecido dos veces contemplar un amanecer o un atardecer iguales... hay que tener tiempo en contemplar y descubrir cada mañana, cada tarde es un espectáculo diferente, el más bello. Hay blancos que hieren los ojos, amarillos en todas las gamas, naranjas que hablan de flores, rojos...; todos los tonos de azules que nos hablan de océanos combinados con las rosas y magentas, morados y azulnegro; pinceladas magistrales en una bóveda de lienzo móvil, cambiantes cielos multicolores y el sol saliente o el del crepúsculo parece sonreír y gritar al viento.. las mejores obras de arte son regalos de Dios para ti, cada una, cada cambio, te habla de su amor para ti; te envuelve en la belleza cada día y en su bondad para que realices tu destino, eres su criatura preferida.

Un ruido, una sinfonía me vuelve a la realidad: son los trinos de los pájaros saludando a quienes quieran oír..

Aprendí del principio de subsidariedad.

Como padres y como maestros prestar al hijo, al educando "tanta ayuda como sea necesaria", no menos, pero tampoco más; no sea que te impida crecer, no sea que te haga un inútil o un dependiente, no sea que llegado el momento no puedas volar..!

Aquí estamos, de la mano por el camino, eres muy pequeño y te voy a enseñar que no tropieces con las piedras que hay a tu paso, pero si ya solo lo hicieras, no estará mal un rasponcito como enseñanza y así aprendas a evitar males mayores; pero no temas, cuando te sueltes de nuestra mano, te estaremos viendo y cuando ya hayas corrido de nuestra vista, no te olvides, llevas en tu corazón a Dios para seguir creciendo...

Cuando estabas en quinto año, me acerqué a ti, como de costumbre en las tardes, a la hora de las tareas y te pregunté si se te ofrecía algo, a lo que tú me contestaste, muy gentil, pero muy firme: "mamá, ya soy grande, de ahora en adelante yo debo hacer mis tareas solo, gracias". Yo adiviné, que detrás de esas palabras estaba la voz de un maestro, el inolvidable Ramón Valdez, te acuerdas de Bernie, a partir de ese día hijo, para resolver tus tareas no me necesitabas. El cariño hace que las personas maduren antes, tal vez muy pronto.

Aprendí de una maestra inolvidable

Que la oración desprende hasta fuerza física

En una ocasión nos contó que terminada la Segunda Guerra Mundial, los franceses estaban librando de minas el suelo de París -minas que habían sido dejadas ahí por los alemanes-. Para el caso, se contaba con aparatos detectores que con una antena iban señalando los lugares exactos de donde se desprendía gran energía (los contadores Geiger detectaban la radioactividad). De pronto, varios buscadores coincidieron en un punto, todas las agujas apuntaban ya muy cerca hacia Notre Dame, ahí no había minas pero se estaba celebrando una Misa de acción de gracias por el final de la guerra y se habían congregado gran parte de los parisinos a orar por la paz. Una cantidad de energía se desprendía de la Catedral.

EN MEMORIAM a nuestra querida EMMA GODOY. Agosto 1, 1989

Aprendí de los niños que reprueban

Que el fracaso no es solo de ellos, sino también lo es de sus maestros y de sus padres. Que hay una primacía de la persona sobre el estudiante, como la hay del espíritu sobre la materia, como la hay de la razón sobre los instintos.

Aprendí del abuelo

El gusto por la lectura cuando leíamos un libro en familia y comentábamos lo leído y nos reíamos si al caso venía. El gusto por saber de la Historia y sus personajes, las gestas heroicas que presentaban modelos a seguir, ideales que perseguir. Qué tiempos, qué ratos preciosos en su enseñanza y en la comunicación que se establecía en todos nosotros; aquel abuelo nos hacía leer un párrafo del Quijote y luego, con la sonrisa en los labios, él continuaba la historia que se sabía de memoria y siempre con grandes enseñanzas.

Recuerdo que había un párrafo en el cual, se leía que el carcelero había ordenado a Sancho después de encerrarlo "Aquí te quedas y te duermes" a lo que Sancho respondía: "que me quede aquí, ni modo, pero eso de que me duerma, es cosa mía" y de ahí pasábamos a la explicación de la libertad del hombre, libertad de actitud, que se podía ejercer hasta en la cárcel. Y se nos explicaba que la libertad no era precisamente hacer lo que quisiéramos, sino esa facultad, esa capacidad que tiene el hombre de elegir para su bien, de entre dos o varias opciones: "¿Entonces abuelo, el hombre es bueno o es malo?", a lo que el abuelo respondía: "¡Ni lo uno ni lo otro, el hombre es libre" Y seguían los ojos muy abiertos por la admiración de un diálogo impregnado de amor y de sabiduría.

Se había sembrado el gusto por saber

Aprendí de Adelita a no quejarme por ningún dolor

He tenido la fortuna de conocer a una muchacha muy bonita por dentro y por fuera. Ella por desgracia, de pequeña enfermó de Polio, el mal atacó principalmente sus piernas en las que le habían practicado 47 operaciones a lo largo de 20 años; cada operación era un gran dolor, cada una era un nuevo intento de prótesis para poder más o menor caminar bien; al verla a sus 27 años sentada tras el mostrador del negocio que atendía, uno no podía imaginar la magnitud de sus dolores, de su pena, pues siempre sonreía a todos y era de tal amabilidad que era imposible no quererla, era una chica que valía mucho. Constantemente estaba preocupada por el bienestar de los demás y su tristeza a veces era por no poder servir a todos, como ella quisiera.

Todo esto lo supe una tarde al pasar por su establecimiento de lavandería a recoger una ropa que había dejado ahí a lavar, me acerqué a ella quejándome de un dolor en las cervicales, era tan molesto...!

Al pasar los días, cada vez que yo la veía, ella amablemente me preguntaba por mi malestar, deveras preocupada, y esa tarde me detuve a conversar un rato con ella sobre la causa de mi molestia, ella amable como de costumbre, se paró y me sorprendí al verla caminar, lo hacía con dificultad y cojeando notablemente y fue entonces cuando le pregunté y ella me relató lo que anteriormente expuse; entonces yo, la "delicada", sentí pena, una gran vergüenza de mi miseria y de mi egoísmo y recordé esas palabras de Og Mandino: "Señor, gracias por mis zapatos viejos, el que acaba de pasar no tiene pies."

Gracias Adelita por enseñarme a amar a la gente y por ser una maestra del dolor de todos los que te rodeamos...

Aprendí de dos jóvenes a no perder la fe.

Ellos me llamaron y me dijeron que estaban por cerrar un negocio que no era uno más, sino el que les permitiría seguir creciendo como Empresa o de otra manera tendrían que cerrar y cada uno ponerse a trabajar por su lado... Pero íbamos por la calle, me dijeron, y de pronto adelante de nosotros estaba parado un coche por lo cual frenamos violentamente y leímos en el vidrio de atrás del auto una calcomanía que decía: "ESPERA UN MILAGRO" y confiados, más que nunca se dirigieron al lugar en donde los esperaban para cerrar su negocio satisfactoriamente.

Espera siempre un milagro

Aprendí del Rey Lemuel

De su famoso poema a la Mujer ideal, muy distinta de la que ahora proclaman las "feministas"

"Sus hijos se levantan para felicitarla, su marido proclama su alabanza. A ella acuden los hijos de Israel para que decida sus asuntos."

"Examina un terreno y lo compra: con lo que ganan sus manos planta un huerto."

"De su casa no puede decirse: casa sin administración, nave sin timón."

"Abre sus manos al necesitado y extiende el brazo al pobre. Todos sus criados llevan trajes forrados. Abre la boca juiciosamente y su lengua enseña con bondad... su marido se fía de ella."

"La mujer ideal, se preocupa por la elegancia, la gracia, la comodidad."

"Confecciona mantas para su uso; viste el lino y holanda..., está vestida de fuerza y dignidad."

Creo que si cambias los términos, nada ha cambiado, virtudes y los valores no han cambiado, solamente ha cambiado el concepto de persona, de Persona!

Crear hacedores de líderes para la paz

Hoy es el día más feliz de mi vida. Agradezco a Dios por haberme dado un hijo incomparable.

Hijo, sé que el verdadero cambio se realiza dentro de cada uno de nosotros, aquí y ahora.

Comprendo perfectamente que no es posible un mundo de Paz que no esté sostenido por el Amor, la Fe, la Justicia y la Libertad.

Cuando sepas del Por qué y Para qué de tu vida, el Cómo no presentará dificultad alguna.

Hijo, la vida es lucha, pero recuerda, lo mejor de la vida está reservado para los valientes.

Los grandes ideales forjan grandes hombres, los grandes hombres crean grandes expectativas.

Ahora sabes que eres el dueño de tu destino, que las circunstancias no te determinan, a pesar de ellas, tu te determinas.

Los padres somos la guía. A nosotros nos toca abrir ventanas y mostrar en la noche las estrellas que son posibles alcanzar.

Sabemos que podemos fracasar, pero cuando se llega a campeón es cuando se han superado todos los obstáculos.

Hijo, que para ti los problemas sean retos. Sirven para que te midas en tu talla de hombre.

No te olvides, ¡las crisis son solo oportunidades para que tu espíritu brille!

Educación:
El gran reto de México

Hoy desperté de un gran letargo... una fuerte sacudida provocada por tantos cambios se presentaban frente a mí... México estaba cambiando rápidamente, el de hace tres meses, había terminado. El mundo se achicaba y empecé a buscar soluciones.

Yo busco seres de gran talla que unidos enfrenten los tiempos por venir.

Yo busco que los hombres se amen como hermanos y que hoy, sembremos de paz toda la tierra.

Busco soñadores... esos seres magníficos que nos conducen a la grandeza, los apasionados, los enamorados de las cosas imposibles, que han demostrado que con su fuerza se logra todo.

Todos buscamos que las familias sean cada vez más unidas y que sean modelo para el mundo entero, que sean semilleros en donde se recreen líderes para la paz.

Yo busco en mis pesquisas seres comprometidos con ellos mismos, con sus familias, con su trabajo, comprometidos con México y con Dios.

Busco seres libres y responsables, sabedores de la grandeza del destino del ser humano.

Se busca a esos locos de amor para incendiar la tierra con el espíritu de servicio y que no termine nunca.

Pero al fin.

Yo busco solamente a un ser que sabe que la alegría es el gran secreto de la vida... que no está condicionada a las circunstancias. que a pesar de ellas es la huella de Dios en la tierra.

Nos interesa su opinión

Nombre ______________________________

Empresa ______________________________

Puesto ______________________________

Giro ______________________________

Dirección Empresa ______________________________

____

______________________________ C.P. __________

Teléfono Empresa __________________ Fax __________

Dirección Particular ______________________________

____

______________________________ C.P. __________

Teléfono __________________

¿Como se enteró de este libro? ______________________________

____

¿Cuál es su opinión? ______________________________

____

____

¿Le gustaría que se ampliara en siguientes ediciones, en algun tema en especial?

____

____

____

¿En qué aspectos le gustaría que le informáramos?

- Productividad ☐
- Liderazgo ☐
- Calidad Total ☐
- Dirección de Excelencia ☐
- Alta Dirección ☐
- Comunicación ☐
- Mercadotecnia ☐
- Visión Financiera ☐
- Liderazgo Juvenil ☐
- Comunicación para Lideres Juveniles ☐
- Desarrollo Personal ☐

Otros ______________________________

____

____

____

Mucho agradeceremos nos envíe sus comentarios a:

Colegio de Graduados en Alta Dirección
Atención: Lic. Miguel Angel Cornejo
Aristóteles 85
Polanco
11560 México, D.F.
Tel./Fax: 281-0477 281-3693 281-2218

**BIBLIOTECA
DE ALTA DIRECCION**

HOY MISMO ELIGE !
TU MEJOR INVERSION ESTA EN TUS CONOCIMIENTOS

LA EDUCACION ES CARA,
LA IGNORANCIA LO ES MAS!

Una obra extraordinaria, un libro considerado ya como un clásico en la dirección de negocios, ganador de varios premios a nivel nacional e internacional. En forma sencilla y magistral nos ofrece los principios básicos para llevar a su empresa al éxito, mediante una cultura de Excelencia.

Usted puede ser Excelente.
El llamado a la Excelencia es un llamado universal, ya que nadie fue creado para ser un mediocre. Con esta obra se sintetizan las actitudes que caracterizan a los seres Excelentes. Sólo se requiere su decisión personal para alcanzarlos.

Disponible en
Audio, Video
y pergamino

Disponible en Audio

Un libro para siempre, que a través de cuentos y reflexiones, frutos exclusivos de la imaginación, nos muestran en forma clara los valores y conceptos que pueden enriquecer y darle sentido a nuestras vidas en los aspectos técnico, humano y espiritual.

La autoridad estará en crisis cuando quien manda se contente con ser un jefe, sin decidirse a convertirse en un líder. Lo que necesita una familia, una empresa o una nación es tener al frente no a un arrogante oportunista, sino a un líder que trascienda. ¿Quién es un líder? ¿Qué lo identifica? ¿Cómo se puede aspirar a ser un líder? Son entre otras, algunas de las interrogantes que le descubrirá este libro maravilloso.

Disponible en
Audio y Video

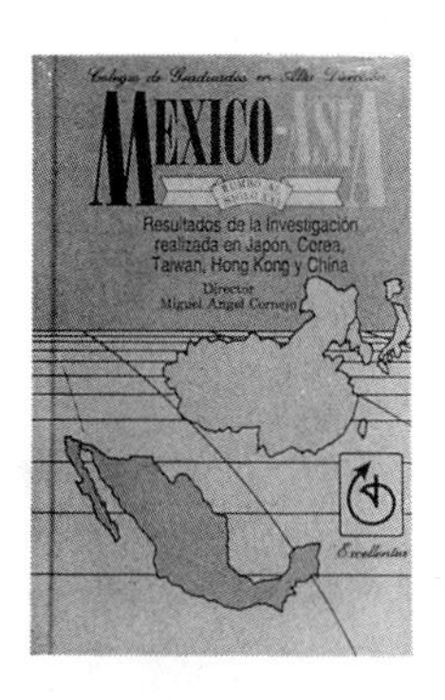

El Colegio, desde su fundación, ha tenido como objetivo fundamental la investigación sistemática de los modelos de Excelencia que puedan ser adaptados en empresas mexicanas para impulsarlas a lograr altos niveles de productividad. Esta obra muestra los resultados obtenidos en la zona de mayor éxito en nuestro tiempo: la Cuenca del Pacífico.

Los retos que se nos plantean en los umbrales del tercer milenio solamente dan cabida a las empresas que estén en búsqueda de la Excelencia. Si usted está decidido a lograr una empresa de Excelencia, a enfrentar con éxito la nueva competencia y la apertura comercial, esta obra le ayudará a conquistar los retos de nuestro tiempo: Liderazgo y Calidad Total.

Disponible en
Audio y Video

En este libro se presenta la metodología, forma de operación y herramientas de trabajo de uno de los motores más importantes del milagro asiático y de las corporaciones de mayor éxito en el mundo: los Círculos de Calidad. Un camino ideal que incorpora a los trabajadores en un movimiento en el que voluntariamente se empeñen en optimizar los recursos que ocupan y mejorar la calidad de su trabajo y de su persona.

Ante los cambios tan vertiginosos que estamos viviendo, Miguel Angel Cornejo nos invita a enfrentar con decisión los retos ante la nueva competencia.

COLECCION
LIDERAZGO DE EXCELENCIA

EL SER EXCELENTE

EL PODER DEL CARISMA

❒▲

LIDERAZGO DE EXCELENCIA

❒▲

ESTRATEGIAS PARA TRIUNFAR

❒▲

DIRECCION DE EXCELENCIA

COLECCION
EXCELENCIA HUMANA

COMPROMISOS CON LA VIDA

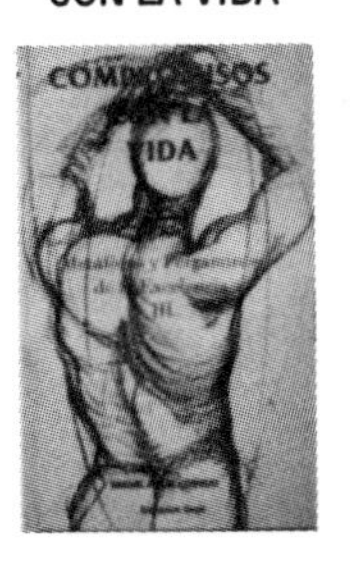

❒▲

METAFORAS I

❒▲

METAFORAS II

❒

DON FAUSTO

❒

CAMINO HACIA LA EXCELENCIA PERSONAL

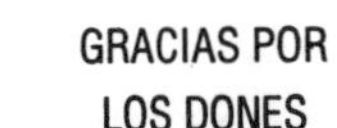

QUE SIGNIFICA SER JOVEN

❒▲

GRACIAS POR LOS DONES

DISPONIBLES TAMBIEN EN: ❒ AUDIO ▲ VIDEO

TODOS SOMOS MAESTROS, segunda edición, se terminó de imprimir en Febrero de 1997 en los talleres de Litográfica Olivella, S.A. de C.V., Cajeme No. 23 Colonia Alvaro Obregón, México, D.F. Tel.: 768 - 96 - 54 Fax: 552 - 02 - 27. La edición consta de 1,000 ejemplares.

Excellentia

Colegio de Graduados
en Alta Dirección

Aristóteles No. 85 Col. Polanco 11560 México, D.F.
Tels. Fax: 281-0477 281-3693 281-2218 281-1083